新潮文庫

# 彦左衛門外記

山本周五郎著

# 彦左衛門外記

## 一の一

五橋数馬《いっはしかずま》は内藤弥九郎の子で、末っ子の三男、十六歳のとき五橋家の養子になった。彼は典型的な末っ子の三男坊であり、心に遠大な野心をいだいているため、肉躰《にくたい》的にも精神的にもはち切れそうな活気が満ち満ちていた。事実、それはしばしばはち切れるので、ごく幼いころから、精神的にも肉躰的にもなま傷の絶えまがなく、つねに両親やきょうだい、また、親族ぜんたいの頭痛のたねになっていた。

彼は幼名を小三郎といった。初めて野心をいだいたのは五歳のときのことで、それは「砂糖漬けの棗《なつめ》をいちどきに五百喰《た》べて母親と夫婦になる」ということであった。

砂糖などという食品は、国持ち大名でもおいそれとは口にできない時代のことだから、三千石ばかりの旗本では「棗」は手が届かない。そこが彼の野心の遠大なところであろう。しかし「母親」のほうは手が届くので、砂糖漬けの棗を二百八十三だけ空想で喰べ（それ以外は空想ですらげっぷが出たそうである）さておもむろに、母に向って云った。

——お弓、こよいはとぎだぞ。

それはときおり、父が母に囁《ささや》く秘めやかな呼びかけであった。いかに楽天的な筆者でも、これをそのまま読者諸君が信じるだろうとは思わない。まして、そのときの両親と姉のおどろきは非常なものであった。長兄の弥市は十二、次兄の弥三郎は八歳で、これらはわけがわからなかった。姉のたきは（のちに本田彦三郎へ嫁したが）十三歳になっていて、長兄より一つ年上でしかなかったにもかかわらず、女性というものが、いかに早くそうした消息に通ずるかを、証明するもののように、耳たぶまで赤くなりながら、そっぽを向いてつんとすました。

彼の七歳のときの野心は、大伯父に当る大久保彦左衛門のような人物になって、「隣り屋敷にいる中島勘助の娘を妻にする」ということであった。娘の名はきみ、年は八歳になっていたが、半年ほど経つと、彼は空想できみを離別し、おふじという魚屋の娘をそれに代えた。その魚屋は隣り町の木挽町《こびきちょう》三丁目にあり、彼女を妻にすれば飽きるほど魚が喰べられるだろう、という功利的な気分も幾らかあったようである。

九歳になると大伯父のことは頭から消えてしまい、従妹《いとこ》に当るみつを正妻にし、おふじは側女《そばめ》に格下げをしたが、次いで、「たぶん魚臭いだろう」という理由で、多少哀れではあったけれどもまもなくおふじには暇をやってしまった。

こういうふうに、十二三歳までの彼の野心は、多く「妻」に関するものであったが、十三歳の後期になると、女性のことはまったく頭から去り、侍だましいに向って急斜面を登り始めた。

このあいだに大坂のいくさが二度あった。冬のいくさは彼の七歳のとき、夏のいくさには八歳で、父の弥九郎も出陣したのに、彼はひたすら「妻」を物色していたわけである。大御所家康が死んだのは九歳の夏のことだったが、四民こぞって哀悼悲嘆するなかに、彼だけは従妹のみつと魚屋のおふじとに、空想でうつつをぬかしていたのであった。

彼が侍だましいのほうへ急転換したのは、そういう生い立ちに対する反動であったらしい。彼は信じがたいほどの熱烈さで武芸にはげみ、戦記や功名話を聞くために、戦場生き残りの老人たちをできる限り訪ねまわり、その談話をこくめいに筆記した。

彼の武芸はその熱烈な稽古に比例して上達し、功名話の筆記は積り積って、等身の高さに一寸三分足らないだけになった。云うまでもないが、この中には大伯父の談話もはいっていた。大伯父の彦左衛門老は本所のほうに隠棲《いんせい》し、朝顔と菊を作って、暢《のん》びりくらしていた。そこはのちに割り下水といわれるようになった土地で、大名の下屋敷が二三と、蔵方や、船方、竹材木方などの組屋敷や、旗本の小屋敷が、畑や、荒地や、雑木林のあいだにちらばっているという、まことに閑静な、というよりも田舎くさい、むしろうらぶれたような環境であった。

大伯父の住居は小屋敷の中にあった。幅九尺ばかりの堀を渡った、細い横丁のどん詰りにあり、百坪ばかりの庭の向うは、芦原《あしはら》と沼と畑と、森に囲まれた農家などの、とりとめもなく広い景色で、天気のいい日には筑波山が見えるという鄙《ひな》びかたであった。住居はたった二部屋。召使は太兵衛といって、大伯父より一つ年長の老僕が一人。これが煮炊きから洗濯、拭き掃除から外出の供までやる。ぶあいそで無口だが、足腰は壮者を凌《しの》ぐほど達者で、米俵を左右の手に一俵ずつ、楽に持って運ぶそうであった。

彼は二十回ばかり本所へかよったが、書き取った筆記は投げてしまった。大伯父の戦記はいさましいものではなかった。いさましくないばかりでなく、それは雑兵でさえ赤面するほどの、みじめでなげかわしい、人間の勇気をへし挫《くじ》くようなものであった。

「おまえは作り話が聞きたいか」と初めに大伯父は云った、「それともしんじつのことが聞きたいか」

もちろん真実を聞きたい、と彼は答えた。大伯父はさらに念を押した。

「中ぐらいのしんじつか、それともてっぺんしんじつか」

「あとのほうです」と彼は答えた。

大伯父の「てっぺん」は昔からの口癖で、最上級という意味らしい。

——この芋はてっぺんうまい。

——あいつはてっぺんおろか者だ。

——背中がてっぺん痒《かゆ》いぞ。

などといったぐあいである。そしてその「てっぺんしんじつ」を話してくれたのだから、それが真実の戦歴であることには間違いがないであろう。だが、そういう戦歴が真実であるなら、作り話ではなくとも、せめて「中ぐらいの」ほうにしておけばよかった、と彼は後悔したものであった。

将軍秀忠が隠居し、家光が三代将軍になったとき、彼は十六で母方の五橋家へ養子にはいり、名を数馬と改めた。養父の三郎太郎左衛門は五十二歳、七百石ばかりの旗本で、夫妻のあいだに子がなく、妻女に死なれたので、にわかに養子の縁組がきまったのであった。数馬は七百石ばかりの旗本、それも無役で、ゆくさき出世の手蔓《てづる》になりそうなひきもない家へ、養子などにはいるのはいやだったが、いつまで部屋住でいるわけにもゆかず、「なに、出世は自分の腕でやればいいさ」と思い返したもので、五橋家へ移ってからは、いっそう身の鍛錬に熱を入れた。

「いまにみろ」と彼はいつも呟《つぶや》くのであった、「いまにみていろ」

一の二

彼の野心はいつも浮動していた。一貫している点は「天下に名をとどろかせよう」ということで、そのとどろかせるということを空想するたびに、自分の存在が空中で雷霆《らいてい》のように鳴りはためくのを感ずるのであったが、いかにして、という手段はそのときによって変化した。

五橋家へはいった年に、シャムから国使が来た。すると、彼の野心はこれまでになくふくれあがり、シャム国へ渡って国王と論判（なんについて論判するかは未定だったが）をしたうえ、場合によっては反乱を起こし、自分が国王になってもいい、とまで考えた。そのとき彼は昂奮《こうふん》のあまり、三日ばかりよく眠れないくらいであった。

明くる年、薩摩《さつま》へスペイン船が来たということを聞くと、その船に便乗してシャムへゆこうと思ったが、スペイン船の来たのは三月であり、彼が聞いたのは五月だったので、便乗のことは諦《あきら》めたし、そのころはシャム遠征の熱もさめかかっていたらしい。

「残念だ」と彼は独りでおうように云った、「残念だが天運は動かしがたい、シャム国王は暫《しば》らく天運に感謝しているがいいだろう」

高砂徳兵衛がインドへ渡ったのは、彼の十九歳の年であったが、それを聞いたとき、彼はだしぬかれたことの怒りと屈辱とで、いまにも軀《からだ》がはち切れるかと思った。彼は徳兵衛が醜い肥大漢で、その顔は顎《あご》なし、狡猾《こうかつ》そうな眼と赤っ鼻を、熊髭《くまひげ》で掩《おお》われているものと信じ、空想でもって痛烈に悪罵《あくば》をあびせかけ、そうして遠征の野心はきっぱりと断念した。

彼は男らしくありたいと思ったので、山田長政がシャム国との交易をはかり、幕府から朱印を貰ったと聞いても、少しも羨望《せんぼう》や嫉妬《しっと》は感じなかったし、板倉重正がロスン遠征を計画していると聞いたときも、ただ、「へええ」と云っただけであった。尤《もっと》も、彼はすでに二十三歳になって、その野心もかなり現実的になっていたのではあるが。――現実。彼は眼をぬぐって周囲を眺め、天下の情勢を考え、その中でなにが可能であるかを検討した。

彼は自分の才能を、掛値なしに評価してみ、極めて謙虚に、武芸であると思った。「刀、槍、弓、馬術、小具足《こぐそく》」と彼は得意の武術を並べてみた、「この五技なら人には負けない、この中のどの一つでも、天下に名をとどろかすだけの自信がある」

市中には浪人者が多くなっていた。大坂のいくさで敗亡した諸侯や、そのあとで取潰《とりつぶ》された大名の家来たちのうち、腕におぼえのある者は出世の機会を求めて回国し、もちろん江戸へもしきりにくだって来た。名を知られているか、手蔓のある者はいいが、その他の人たちは自分で機会を作らなければならない。そこで、市中にある広場や空地には、高札を立てて武芸の試合を挑む浪人が少なくなかった。

かれらは人の注意をひくために、その試合にしばしば金を賭《か》けた。

「自分が負けたら金十両を進上する」と高札に書き、現実に慶長大判などを見えるところに置いたりした。

五橋数馬はこれに眼をつけた。

――浪人たちにとって出世の機会となるなら、おれにとっても同じ値打がある筈だ。

柳生《やぎゅう》、小野など第一級の道場は、門人の数もおびただしいし、上が閊《つか》えているから、頭角をあらわすことはなかなかむずかしかった。また、そのころは武芸などにも形而上《けいじじょう》の理屈をこねる風潮がおこり、単に腕前が強いだけでは達人とは認められない、というような通念がはびこり始めた。数馬のように、はち切れそうな野心をいだいている者は、そんなまどろっこしい情勢につきあってはいられない。すでに武家諸法度《しょはっと》が定められ、駅馬駄賃《だちん》の制ができ、二度も大奥法度が発令され、東海道三度飛脚などもきまるというふうで、徳川氏の天下は安定する様相を示していた。このまま安閑としていては、七百石の旗本のまま据え置きにされる可能性が濃い。したがって、いまのうちになにかひと働きやり、自分の存在を世に知らせたうえ、もう一段出世しておかなければならない、と彼は強く決心したのであった。

こうして彼は、浪人たちと野試合をするようになり、しばしば勝って、賭けられた賞金を手に入れた。向うが賞金を出すのだから、試合のときにはこっちも同額の金を並べなければならない。そこで彼は四五人の友達を誘惑して出資させ、集めた金で試合に出、勝って得た金には利を付けて返す、という方法をとった。

彼はごく稀《まれ》にしか負けなかった。勝ちめのなさそうな相手は避けたし、狡猾といってもいいくらい頭がよかったので、腕に差があるときは巧みに頭を働かして勝った。しぜん出資する友人たちも多くなり、ついには出資者を輪番制にするという仕儀にまで発展した。

これが二十五歳の春まで続き、ついに大田原禅馬と試合する日を迎えたのであった。

大田原禅馬は采女《うねめ》ケ原に高札を立てていた。京橋木挽町から築地へ向うところで、埋立ててからまだ年数が経たず、原には水溜《みずたま》りがあるし、雑草や芦が生い繁り、地面はでこぼこの石ころだらけであった。

禅馬はそこに幕張りをし、高札には賞金二十両と書き出し、門人ふうの者を七人伴《つ》れていた。古法蔵院源流といういかめしい流名の棒術家で、それまでに十人以上と試合をし、全勝を続けているという評判であった。金二十両となると高額であるが、数馬はひそかに禅馬の試合ぶりを見にゆき、これなら勝算ありとにらんだので、輪番制の出資者ぜんぶを勧誘し、二十両を持ってでかけていった。

暖気の高い日が続いたためだろう、采女ケ原はもう青草に掩われていた。三カ所に群れ集まっている人垣の上へ、甘ったるく重みを含んだ晩春の日光が、穏やかに明るく降りそそいでいた。

二カ所には野師《やし》が人を集めているらしい、禅馬のところでは、門人たちが棒の稽古をしている、それを取巻く人たちも、侍や小者、武家の女性や子供たちが多かった。

大田原禅馬は床几《しょうぎ》に掛けていた。図柄の判然としない幕を背に、鉄扇を膝《ひざ》に突き立て、大きな隻眼を細めながら、門人たちの稽古を眺めていた。右の眼は潰れて穴になっているが、左の眼は大きく、まるで両眼が一つになったようにみえるし、細めてはいるが眼光にも力があった。

「おい、大丈夫か五橋」高木善四郎という友達が云った、「見たところ相当なつら構えじゃあないか、門弟たちも相当やるようだぞ」

「そうだ、ひと癖ありそうなやつだ」と神谷弥助が云った、「あのつら構えは相当なもんだ、金二十両だからな、こいつは考えもんだぞ」

## 一の三

七人いる友達の中で、高木と神谷はいちばん仲がよく、馬と馬方のように絶えずいっしょだし、片方が「寒い」と云えば片方がすぐにくしゃみをし、片方が「眠い」と云えば片方がすぐに欠伸《あくび》をするというくらい、肉躰的にも精神的にもしっかりと結び付いていた。

「ちゃんと手は考えてあるんだ」数馬は他の五人まで動揺し始めるのを、軽く抑えながら云った、「あの男は右の眼が潰れているだろう。だからたいていの者が右のほうを攻める、そのために却《かえ》って右は固いんだが、眼のあいている左のほうは弱い、おれは下検分に来てちゃんとそれを見ているんだ」

「ちょっと待て」と高木が遮《さえぎ》った、「その理屈はおかしいぞ」

「そうだ」と神谷がすぐに云った、「それはちょっとおかしな理屈だ」

「その理屈で云うと」高木が云った、「左の耳がつんぼの人間は左の耳のほうがよく聞えるということになるぞ」

「そのとおりだ、つまり」と神谷がすぐに云った、「つまり、右の鼻が詰っている人間は、詰っている右の鼻のほうが、よくとおる左の鼻よりも、よく匂いが嗅《か》げるということになるじゃないか」

「これは耳でも鼻でもない、眼の問題だ」と数馬が答えた、「武術の試合には耳がよく聞えるとか、なにかの匂いがよく嗅げるかどうか、などということは、おい、よせ」と数馬は云った、「試合をするのはこのおれできさまたちじゃない、よけいな口出しをするな」

そして彼は進み出ていった。

数馬は相手と名のりあい、台の上へ金二十両を置いてから、身支度をして、木刀を袋から出した。大田原の棒は九尺ほどの長さで、黒光りにつやつやと光っていた。彼はまずその棒に素振りをし、次に幾種類かの型をやってみせた。喉《のど》からほとばしり出る気合は、千尺立方の空気をひき裂き粉砕するかと思われるほどすさまじかったし、縦横上下に円を描き鉤《かぎ》を引き弧を飛ばす棒はまるで笛鳴《てきめい》を発する陽炎《ようえん》のようにみえた。眺めている群衆はもとより、数馬に出資している七人もこれにはすっかり肝を抜かれ、自分たちの出資金が、極めて憂うべき事態に当面したことを感ずるのであった。

五橋数馬は杭《くい》のように立っていた。

彼は木剣を右手に持ち、背骨をまっすぐにして、棒杭のようにまっすぐに立っていた。大田原の示威運動にもまったく無関心で、まっすぐ直立し、まっすぐに前方の一点をみつめたまま、微動もしないのであった。彼の凝視しているほうに、薄い被衣《かつぎ》を衣《き》た武家の女性がいた。むろんこの試合を見るために立寄ったのであろう、侍が五人ばかりと、侍女らしい者が二人、その女性のまわりを取巻いていた。

「おい、あれを見ろ」神谷弥助は高木善四郎を肱《ひじ》で小突いた、「五橋の眼の向いているほうだ、あそこに被衣を衣た婦人がいるだろう」

「ああ、被衣を衣た婦人がいるな」

「よし」と神谷が頷《うなず》いた、「こんどはもういちど五橋の眼を見ろ」

「五橋の眼を見た」

神谷が不吉なひびきのある声で云った、「さっきから五橋は身動きもしないが、あの婦人にみとれているんだとは思わないか」

「思うな」高木は唸《うな》り声をあげた、「慥《たし》かに、あれは被衣の婦人にみとれている眼だ」

「ばかなことを云うな」青山藤七郎という出資者の一人が云った、「あれは五橋がもっとも得意とする破《は》の構えだ、岩城権太夫に勝ったときもあの構えだし、渕田軍兵にもあの構えで——」

青山はそこでとつぜん絶叫した。

大田原が棒を八双に構え、耳がが
ん
と
なるような掛け声とともに、さっと、するどく打ちを入れた。数馬は棒立ちのままで、そのとき青山が絶叫した。彼は「危ない」と叫んだのであるが、その声が聞えたのであろう、数馬は左へ跳躍し、大田原は棒を頭上に高くあげて「いかに」と勝ち名のりを叫んだ。

「まだだ」と数馬が云った、「勝負はまだだ」

「なにを云う」と大田原は喚き返した、「左の小鬢《こびん》を見ろ、この棒で打った傷があるぞ、勝負はあったぞ」

数馬は左手で自分の小鬢に触ってみた。棒の尖端《せんたん》でかすったのだろう、そこには拇指《おやゆび》二本ほどの太くて長い瘤《こぶ》ができていた。

「かすっただけだ」と数馬はやり返した、「こんなものは勝負にならない、もういちど」

云いかけたが、そこで言葉を切ると、彼は木剣を持ったまま敏速に走りだした。

大田原はじめ群衆も七人の友達も、ふいのことであっけにとられたが、高木善四郎はすぐに投資金のことを思いだし、「おい、捉《つか》まえろ」と叫んで、数馬のあとを追いかけた。数馬の姿は捜すまでもなく、向うで一人の侍となにか話しているのが見えた。そして、七人が駆けつけるまえに、その侍と別れ、汗を拭きながらこっちへ来た。

「おい五橋、どうしたんだ」と青山が喘《あえ》ぎながら云った、「勝負を放ってなにをしに来たんだ、いまの侍はなんだ」

数馬は立停って、七人の顔を順に見た。

「なんだ」と彼はまた順々にかれらを見まわした、「おまえたちこそなにを騒いでいるんだ」

「頭がどうかしたな」と高木が云った。

「頭がどうかしたぞ」と神谷が云った。

「勝負のことを忘れたのか」と高木が声をはげまして云った、「五橋数馬、しっかりしろ」

「しっかりしろ、五橋数馬」と神谷が声をはげまして云った、「勝負のことを忘れたのか」

数馬は持っている木剣を見、向うの大田原禅馬の幕張りを、ぼんやりと見た。

「勝負は済んだ」と彼は云った、「――おれの負けだ」

「冗談じゃない金二十両だぞ」三宅惣兵衛がかなきり声をあげた、「おまえが勝つと請合ったからおれたちは金を出したんだ、しかも合計すれば金二十両だぞ」

そして他の六人が一斉に喚きだした。現実の問題としては、もういちど大田原禅馬と試合をして、二十両を取戻すべきだというのである。数馬は三宅の手を取って、小鬢にできている瘤に触らせた。

「これが負けた証拠だ」と彼は云った、「もういちど試合をするには、また金二十両持ってゆかなければならない、いまここでそれだけ集められるか」

みんな顔を見合せた。

「しかし、その」と青山が云った、「もしも五橋が勝つときまっているのなら、金はあとで出すという相談にすれば」

「勝つもんか」と云って、彼は木剣を高木に渡した、「おれの眼は美しい彩虹《にじ》でふさがれてしまった、相手の棒も自分の木剣も見えやしない、試合なんかくそくらえだ、おれは帰るぞ」

そして大股《おおまた》に去っていった。

## 一の四

七人は茫然と見送っていたが、高木善四郎は自分が木剣を持っている事に気がついてびっくりした。どうして木剣など持っているのかすぐにはわからなかった。

「彩虹で眼がふさがれたって」と三宅惣兵衛が云った、「いったいなんのことだ、頭がどうかしたんじゃないのか」

「美しい彩虹」と高木が云って、木剣で地面を打った、「あの女だ」

「それだ」と神谷は木剣がないので、片足で地面を踏みつけながら云った、「あの被衣の女だ」

「あいつはうっとりとあの女にみとれていた」と高木が喚いた、「それで棒も木剣も見えなくなったんだ」

「竹棹《たけざお》のように突っ立ってあの女にみとれていた」と神谷が云った、「それで試合なんぞくそくらえって思ったんだ」

「おい青山」と吉岡又之助が云った、「おまえはあれを破《は》の構えだと云ったな」

青山藤七郎はそろそろとあとずさりをした、「それはつまり、五橋はいつもあの構えで」

「なにが破だ」と三四人が喚いた。

「そうだふざけるな、なにが破の構えだ」と三宅惣兵衛がどなった、「その字を三つ重ねて云えばどうなるか知ってたんだろう」

「そんなことはない、とんでもない、破を三つ重ねて云うなんて、冗談じゃない」

「云え」とみんなが詰め寄った、「自分で云いだしたんだ、三つでも五つでも重ねて、続けさまに云ってみろ」

あとにこんな悶着《もんちゃく》が起こっているとは知らず、五橋数馬は山下橋御門外の家へ帰る途中、なにか口の中でぶつぶつ云ったり、首を捻《ひね》ったり、片手の掌を片手の拳《こぶし》で打ったりした。通行の人馬も眼にはいらないようで、いちど三人伴れの侠客《きょうかく》らしい男たちとすれちがったとき、その一人と肩をぶっつけた。その侠客は両頰へ紅で大きく鎌髭《かまひげ》を書いているという、もっとも侠客らしい侠客で、肩をぶっつけたのも喧嘩《けんか》を売るのが目的だったらしい。おおげさによろめいて「なん、なん」と云った。

「これなん」とその侠客は喚いた、「なんでやっさっしぇーしぇー」

そうしていさましく六方をふんでみせた。その言葉は侠客なかまの術語であろう、どういう意味であるかよくわからないが、数馬は片手をあっさりと振り、「しえーしえー」と答えてそのまま通り過ぎ、それがあまりにあっさりしているため、さすがの俠客もあっけにとられ、喧嘩にまで持ってゆくきっかけを摑《つか》みそこねたようであった。

「奥平美作守《みまさかのかみ》の御息女」と彼は大股に歩きながら呟いていた、「御三女のちづか姫、——お屋敷は備前堀《びぜんぼり》、……ちづか姫、奥平美作守の御息女」

　同じことを、繰り返すだけであるが、頭の中では活潑に思考をはたらかせていた。

「そうだ、人間は一生にいちどは断乎《だんこ》たる行動をとるべきだ」

　彼がそう云ったのは、山下橋御門外の家で養父と夕餉《ゆうげ》の膳に向っているときのことであった。養父の三郎太郎左衛門はちょうど焼いた乾魚《ほしうお》の頭を嚙《かじ》りかけていたが、というのは三郎太郎左衛門は魚の頭の部分にこそ人間の寿命と頭脳をやしなう重要な精分があると信じこんでいたのであるが、いまその焼いた乾魚の頭を嚙りかけていたとき、養子の決然たる言葉を聞いたので、思わず知らず顎に力がはいり、そのため魚の頭の親骨を歯ぐきに突立ててしまったくらいであった。

「うん、それはいい」と三郎太郎左衛門は口へ手を入れて、歯ぐきに突立った魚の骨を取ろうと努力しながら、その合間あいまに云った、「男子たる者は、一生にいちどは断乎たる行動をとるべきである、それについて思いだしたが、おれが御神君《しんくん》のお供をして三方ケ原の合戦にのぞんだとき」

「ちづか姫」と数馬は眼いっぱいにあこがれの色を湛《たた》えながら呟き、胸の底のほうから深く長い溜息《ためいき》をもらした、「――奥平美作守の御三女、うう、ちづか姫」

「三方ケ原の合戦にのぞんだときのことであるが」

「お屋敷は備前堀」と彼は恍惚《こうこつ》として呟いた、「そうだ、舟でゆけばいい」

「いや待て」と養父は歯ぐきに突立った魚の骨との格闘をやめて云った、「三方ケ原は山の中だから舟でゆくわけにはいかないて」

「いや舟です」と数馬は云った、「小舟を雇って屋敷の裏へ着け、そこから裏庭へ忍びこむのがもっとも確実で、手っ取り早い戦法です」

「だがして、三方ケ原は山の中であるから」

数馬はめし茶碗をにらんで「これだ」と云った、「この手にきめた」

そして、彼は断乎たる行動に出た。

のちに越中堀《えっちゅうぼり》と名が変り、大正十二年の大地震後に埋立てられてしまったその「備前堀」は、いまの、いや、これも埋立てられてしまった三十間堀から、ほぼ東北に続いていたのであるが、数馬はその夜、小舟を雇って美作邸の裏へゆき、石垣をよじ登って、その屋敷の奥庭へと忍びこんだ。奥平美作守信昌は野州《やしゅう》十一万石の領主であって、そんなに簡単に裏庭へ忍びこむことができるかどうか、ということに読者は疑問をいだかれるかもしれない。筆者もその点について考証すべき多くの条件があるのであるが、要約すれば、非常に疑い深い大名と、案外なくらい楽天的な大名があったこと。また、寛永時代という初期封建性の、まだ野宿の習慣が多分に残っていた生活様式、ということを想像して頂くことで、この物語を進めたいと思うのである。

さて、五橋数馬は美作邸の裏庭へ忍びこんだ。季節は晩春、時刻は宵の七時。空は曇っていて、匂う花はもうないが、芽立つ若葉の官能的な、唆《そそ》るような匂いが重たく、なやましく（女性にとっての話らしいが）空気にこもっていた。

彼は植込の中にはいり、奥殿のほうへ見当をつけて、そろそろと進んでいった。ばかな男である。そんなふうにして、大名の姫君に会うことができるなどとどうして考えられたものか、——が、そのとき向うから、一人の女性がこっちへ歩いて来た。

偶然ということほど信じがたく怖《おそ》ろしいものはない。その女性は十六七歳で、たぶん腰元かなにかであろう、顔も軀もふっくらとして、やがてはでっぷりと肥え太ってみせる、といいたげな容態であるが、いまはただふっくらと愛らしく、そして袂《たもと》で顔を掩いながら啜《すす》り泣き、啜り泣く合間に鼻唄をうたっていた。

「えへん」と数馬は忍び声で咳《せき》をし、相手をおどろかさないように、そっと呼びかけた。「失礼します——こんばんは」

一の五

読者諸氏はおそらく作者とともに、その少女に感謝してくれるだろうと思う。彼女はまるでこの物語の進行を助け、また、筋のはこびがもたもたするのを避けるためにあらわれたようなものだからである。すなわち、そんなところで見知らぬ男から呼びかけられても、彼女は少しも吃驚《びっくり》したり、叫び声をあげたり、逃げ腰になったりはしなかったし、五橋数馬の二三の問いにも、おちついてすなおに返辞をした。

彼女はちづか姫の侍女で早苗《さなえ》といい、年は十五歳であると、ほがらかに答えた。啜り泣きと鼻唄は忘れてしまったらしい、すぐ脇にある燈籠《とうろう》の光で、数馬のようすを見ながら、そのふっくらとした顔で、さそいかけるようにほわりと微笑した。

「いい名前ですね、それに年よりはずっとおとなにみえる」数馬はあいそを云った、「私は十七八かと思いましたよ」

「みんなにそう云われるのよ」早苗は前へ出た、「あたくし本当に十七八くらいにみえるんですって、——裸になるとよ」

そして彼女は両手でそろそろと、自分の胸から腹部、腰部、大腿部《だいたいぶ》と撫《な》でおろしながら、上眼づかいに彼を見、首をかしげてにっと頬笑《ほほえ》んだ。数馬は眩《まぶ》しそうな眼つきになり、顔を赤らめながらうしろへさがった。彼女の撫でおろす手にしたがって、蛙《かえる》の皮を剝《む》くように、彼女の裸身があらわに見えるかと思えたからである。

「そうでしょう、もちろんそうでしょう」と数馬はそのことを保証するように頷き、もっとうしろへさがりながら云った、「それはもう見なくともよくわかりますよ、そのうえそんなに美しいのだから、——ときにですね」

「あたくし太っているのよ」と早苗は云った、「あなたがもしそうなさりたいのなら触ってもいいけれど、お乳なんかもうこんななのよ」

「それは有難いですが、私は」

「遠慮ぶかいのね、あなたは」早苗は喉で笑い、自分の着物の衿《えり》へ手をかけた、「あたくしの乳首は薄桃色できれいなのよ、見せてあげましょうか」

「ちょ、ちょっと」彼は慌ててなにかを押えるような手まねをした、「それはぜひ拝見したいしぜひ触らせてもいただきたいですが、それは残念ながらこの次ということにして下さい」

「どうしていまではいけませんの」

「今夜はですね、じつは」彼は咳をした、できるだけ厳粛にひびくように咳をし、それから、さもおごそかな秘密をあかすように、低い声でゆっくりと囁いた、「――ひめぎみとやくそくがあるのです」

早苗は口をあいた。すると、脇にある燈籠の光を斜めに受けて、その口は小さな黒い空洞のようにみえた。

「おひいさまと」と早苗は囁き返した、「お約束ですって」

数馬は黙って、重おもしく頷いた。年若い侍女の眼に、好奇と、羨望と、感動の色があらわれ、呼吸が荒くなった。それは思いがけないときに人形を貰った少女のよろこびの表現のようでもあり、また、他人の情事をぬすみ見するときの中年増《ちゅうどしま》の昂奮をあらわすかのようにみえた。

「それ、ほんとうですか」

数馬は頷いて云った、「あなたに会えたのは幸運だ、あなたならどんなことでもたのめる、そうでしょう」

早苗は熱心に頷いた。昔も今も、他人の秘事《ひめごと》に参加できるということは、女性にとってなにより好ましいものらしい。彼女は信頼されたことの誇らしさと、自分の立場の重要さにわくわくし、唇を舐《な》めながらすり寄って、「それでこれからどうするのか」と訊《き》いた。

「あなたのほかにこんなことを頼める人はないでしょう、よく聞いて下さい」と数馬は云った、「どうか、これからすぐ姫君のところへいって、私がここに来ていると伝えてもらいたいのです」

「おひいさまは御存じなんですわね」

「知らないお顔をなさるかもわからない」と彼は考えぶかそうに云った、「こういうことは誰でも、特に婦人は羞恥心《しゅうちしん》が強いですからね、わかるでしょう」

早苗は力をこめて頷いた。

「ここで逢うという約束をした、などということは知らないと仰《おっ》しゃるかもしれない」と彼は云った、「しかしそれは本心ではない、本心ではないがおそらく、おそらくそんなおぼえはないというようなそぶりをなさると思って下さい」

「わかりました」と云って彼女はあこがれるような眼で夜空を見あげ、両手で、その（こんなになった）胸乳をかかえながら恍惚と云った、「よくわかりました、あたくしおひいさまがお羞《はに》かみなさらないようにうまく致しますわ、きっと。ええ、そしてきっとここまでお伴れ申しますわ、きっとよ」

「やっぱり早苗さんは私のにらんだとおりの人だった」数馬はおじぎをした、「あなたなら大丈夫、きっとやって下さるでしょう」

早苗は微笑し、媚《こび》のある眼で彼を見て、歩きだそうとしたが振返った。

「あの、お名前だけでもうかがわせていただけませんでしょうか」

「いいですとも、旗本不動組の五橋数馬という者です」

「不動組ですって」早苗はまあと眼をみはった、「では赤鞘組《あかざやぐみ》などのような侍《さむらい》侠客《きょうかく》でいらっしゃいますのね」

彼は左手をひらりとさせた、「赤鞘組なんぞは侍侠客とはいえやしない、あんなものはほんの子供あそびにすぎませんよ」

「でも水野十郎左衛門と仰しゃる、まだ前髪立《まえがみだ》ちのたいそう強い方がいらっしゃるそうじゃございませんか」

「その話はこの次にしましょう」と彼は云った、「どうか姫君のほうをたのみます」

「あなたせっかちね」と早苗は云った、「でもいいわ、いって来るから待ってらっしゃいね、少しおくれても帰ってはだめよ」

「もちろん待っています」

「きっとよ」と早苗は念を押した。

言葉が丁寧になったりひどくぞんざいになったりする少女である。だが、年のわりにしてはものわかりもいいし気転もききそうだ。うん、いい娘にぶっつかった、これは幸先《さいさき》がいいぞと思って、数馬は両手をこすり合せた。

彼は待った。時刻はおそろしくゆっくりと経ち、気温がひえて来た。晩春三月でこのくらいひえて来たとすると、もう十時をまわったかもしれない、彼は苛《いら》いらし始めた。

「あの小娘のやろう」と彼は呟いた、「まさかすっぽかすんじゃあなかろうな」

早苗はすっぽかしはしなかった。待たせたことは待たせたが、十二時近くなってから、姫を案内して、戻って来た。

## 二の一

「禍福はあざなえるなんとか、なんて云ったやつはどんな人間だろう」と数馬は独りで呟いた、「そいつは本当にわかっていて云ったものだろうか、おれがいま舐めているこんな気持を、ちゃんと自分で味わったことがあるんだろうか」

すでに六月、季節でいえば晩夏である。三月のあの夜から、すでにまる九十日以上も経っており、彼は恋の虜囚《とりこ》になったままなのである。彼はいま改めて、「幸先がよい」と両手をこすり合せた夜のことを想いだして、信じがたいほどその顔をしかめた。

早苗は姫を案内して来た。が、姫は姫でもちづか姫ではなかった。六尺ゆたかな筋骨の逞《たくま》しい、あたかも力士のような軀つきの女性で、声もまた力士のそれに似ていた。

——自分は奥平美作守の姫である。

とその女性は太いしゃがれ声で云った。

——自分に面会を求めたのはそのほうであるか。

数馬はどっちへ逃げたらいいかを眼で捜しながら、人違いである。と口の中でかすかに答えた。女性は怒った。いや、怒ったようにみえただけかもしれない。というのが、脇にある燈籠の光で、彼女の二つの鼻孔がくるみ大にひらき、口から嵐のような毒気を吹いたからである。数馬はとり殺されるかと思ったが、姫はとり殺しはしなかった。

——奥平家には姫が五人いるけれども、自分にまさる者はいない。

と姫は咆《ほ》えた。

——ちづかは慥《たし》かに美人である。そのほうはたぶんちづかに想いをかけているのであろうが、侍が妻を選ぶのに、顔の美醜を問題にするなどとは柔弱きわまる沙汰だ。

そして姫は拳で自分の逞しい腕を、ごつんごつんと交互に打ち、胸を打ち、腰を打った。腕は松の木を叩くような音がし、胸は酒の充満した酒樽《さかだる》を叩くような音がし、腰は、腰は——なんと譬《たと》えようもない音がした。

——この健康、この活力を篤《とく》と見るがよい、これこそ侍の子を産むために作られた肉躰であり、しかも、ちづかの軀に備わっている器官は全部そろっているのである。

数馬はあとじさりをした。いまにも彼女のその「器官」の中へ自分がのみこまれてしまうような感じにおそわれたからである。いや、と彼はできる限り謙遜《けんそん》に云った。あなたのような稀代《きだい》の女丈夫にはふさわしくはない、あなたにはほかにもっとふさわしい大人物がいる筈である、自分のようなとるに足らぬ人間のことはどうかお気にかけないでいただきたい。こう云って彼は、あとじさりをしながら三度低頭した。

――男は犬猫より愚昧《ぐまい》である。

姫は冷笑した。犬猫のようなちくしょうですら、毛並や眼鼻などで配偶者を選ぶようなおろかなまねはしない、みんな健康で闘志ある仔《こ》を産めるかどうか、という点を標準にして選ぶのである。人間の男どもがこんなことでは、やがて人類は滅亡するにちがいない、自分はそれを保証するだろう。このいくじなしの＊＊＊立たずが、こう云って姫はいさましく去っていった。

姫が去ると、脇のほうでくすくす笑う声がした。見るとそれは早苗であった。

――いまのはなんだ、あれは男か女か。

彼は汗を拭きながら、こう訊いたことをおぼえている。

あれは長女のいつき姫である、と早苗は笑った。年も二十八歳になるがいまだに縁談がない、もしかしてあなたと合性ではなかろうかというので、ちづか姫が会わせたのである。だから落胆せずに、また明晩ここへ来るがよい、あたしが待っていてあげるから、そう云うなりさっと、その少女は走り去ってしまった。

「うう」と彼はいま呻《うめ》く、「あなたは犬猫のことにはお詳しいですな、ぐらいなことを云ってやればよかったんだ」

明くる夜は小雨が降っていた。

まだ雨合羽《あまがっぱ》などのない時代、数馬は笠をかぶり蓑《みの》を衣ていった。大名の姫と出会いをするには色消しな恰好だが、ずぶ濡れになったところで男前があがるわけでもない。それに、蓑笠はその時代の常識的な日用品だったから、読者諸氏や作者が心配するほど色消しではなかったかもしれないのである。彼はまえの夜のように小舟でゆき、石垣をよじ登り、そうして、例の燈籠の脇のところへ近よった。

約束どおり、早苗はそこにいて、彼を見るなり、「待っていらっしゃい」と云いながら、いそぎ足にたち去った。

「あのときはおれも胸がおどったものだ」といま彼は呟く、「朝まで待ってもいいつもりだったっけ」

その晩はさして待つこともなく、半刻《とき》ほどすると早苗が戻って来た。大きな雨傘をさし、手にぼんぼりを持っていたが、その大きな傘の下に一人の女性の姿が見えた。それが一人の女性であると認めるまでには、時間と距離の接近が必要であった。というのは、その人は細い棒柱へ頭と手足を付けたうえ、衣装を着せたような姿だったからである。

そのとき彼は、ぎゅっと眼をつむったことをおぼえている。早苗はその人を、「乙姫《おとひめ》のこずえさま」であると紹介した。

——御機嫌うるわしく、祝着《しゅうちゃく》に思う。

数馬はやむを得ずそう挨拶した。こずえ姫は恥ずかしそうに微笑したが、やはり棒柱が微笑したようにみえた。

その次の夜は牛のように肥えた四女のながを姫、四番めには信じられないほど背丈の高い、のっぽのみゆき姫で、彼女は美作守の五女であり年は十四だというが、ずっと上のほうから数馬を眺めおろし、ずいぶん小さな男ではないか、と侮ったようなことを云った。彼女の顔があんまり高みにあるので、数馬のところからはよく見えなかったが、その口ぶりから察すると、彼女がしかめづらをしたことは慥かだと思えた。

——自分はこんなちびは嫌いだ。

こう云いさま、みゆき姫はさっさと向うへいってしまった。

「あんな侮辱を受けたのは初めてだ」と彼はいまそのときのことを思いだして歯がみをする、「いっそ頬っぺたをぴしゃっとやってやればよかったんだ」

が、彼は心の中でその思想をすぐに撤回した。そうするにはまず梯子《はしご》でも持って来なければならないだろう、ということに気がついたからである。

——いったいこれはどういう計略だ。

数馬はみゆき姫が去ったあとで、早苗に向って、怒りをたたきつけた。

――おれはあんな化け物みたような娘たちなんかに用はない、ちづか姫に逢いたいんだ、いいか、ちづか姫にだ、逢いたいのはちづか姫だぞ、わかったか。

二の二

こうして五晩めにちづか姫と逢った。

その夜、彼は自分が精神的にも肉躰的にも一個の熱鉄のように燃えていたことを記憶する。ようやく望みを達したよろこばしい昂奮と、四晩も翻弄《ほんろう》されたことの忿怒《ふんぬ》と、そのほか説明しようのない激しい感情とが、一つになって燃えさかっていたのだ。

――あなたは采女ケ原で野試合をなすった方でしょう、と姫はものやわらかに云った。お名前はたしか五橋さま。

「五橋数馬です、とおれはすぐに答えたものだ」と彼はいま呟く、「うん、やわらかな、あたたかそうな、美しい声だった」

――あなたがわたくしのあとを追って来たことは供の者から聞きました。

それで、初めの夜ここへ忍んで来られたとき、たぶんあなたであろうと思った。なぜなら、試合のときわたくしをみつめた顔つきが尋常ではなかったし、「試合をしている」ということさえ忘れて、棒立ちになっていたからである、と云って姫は含み笑いをした。

——けれどもわたくしは、すぐおめにかかる勇気もなく、そういう軽率なことをしたくもありませんでした。

　それにあなたがどれほど執心であるかも知りたかったので、姉や妹たちを出してためしてみた。あなたは辛抱づよく、これまでのところはみごとに自分の期待にこたえてくれ、こんなにうれしいことはないと姫はながし眼に見ながら云った。

「うう」と彼はいままた呻く、「あのときおれは軀が倍くらいにもふくれあがったように感じ、これで望みがかなったと信じたことを、誰がはやまったなどと云えるだろうか、誰か云える者があるか」

　姫はそれだけ事を面倒にしただけでは満足しなかった。彼女は単純なものより複雑なもの、安易なことより困難の伴うもの、安穏《あんのん》な状態より胸のどきどきする状態、などというほうが好ましいと云った。

——わたくし、できるだけ美しい結婚がしたいんですの、とちづか姫は云った。あなた深草ノ少将のもも夜がよいを御存じですわね。

　数馬は当惑して首を振った。

——では錦木塚の故事は御存じ。

　数馬はまた首を振った。

　姫はかなり失望したらしい。愛らしく溜息をつき、その小さな肩を愛らしくおとした。しかしすぐに気をとり直したようすで、「錦木塚」なる故事を語ってくれた。それは奥のくにのずっと奥の、なんとかいう村里のことだそうであるが、男に想う女ができると、男は錦木の枝を女の家の門前に挿《さ》す、女がもしその男が嫌いなら手をつけず、好きなときはその枝を取る。だがそれで事がきまるわけではない、女が結婚を承諾するまで、男は毎夜その枝を挿しにゆくのである。

——深草ノ少将は百夜でしたけれど、錦木は二百夜も三百夜も続けることがあります、三年もかよい続けたので、千束《ちづか》という名もあるということですわ。

わたくしの名もちづかであるから、錦木の故事にならいたいと思う、もしあなたの気持がしんじつなら、どうかわたくしの気の済むまで、ここへかよって来て錦木を挿してもらいたいと姫は云ったのである。

「それから九十余日、毎晩おれは奥平邸へかよい続けた、うう」と彼はいま自分を罵《ののし》って呻く、「うう、このいくじなしの、腰抜けの、＊＊＊立たずめ」

彼は草鞋《わらじ》を二十足もすり切らせて、ようやく錦木という植木を買って来た。どうして錦木などというごたいそうな名が付けられたのか判断に窮するほど、見栄《みば》えのしないばかげた木で、そんな物で想いを告げるのだとすると、その村里はよっぽど物資が欠乏しているに相違ないと思った。

九十日のあいだに、錦木を十たびも買って来て裸にし、いま庭には二十本「さあ、お好きなところから折って下さい」と云わんばかりな枝ぶりで植わっている。途中で精が切れ、やめてしまおうかと思ったことが幾たびかあった。だが日が昏《たそが》れると気持がぐらぐらし始め、八時ころになると全身が熱くって、どうしてもじっとしていられなくなるのであった。

「あれは悪魔だ」といま彼は呟く、「人間じゃあない、きっと女の悪魔だ」

それから暫《しばら》く黙っていたと思うと、彼の眼がやさしく細められ唇にしぜんと微笑がうかんだ。

「へっ」といって彼は首を振った、「悪魔にしても可愛いきれいな悪魔さ、へっ、だれが諦めるものか、あの植木に払った代金を考えたって、おれは断然やってのけるぞ」

屹《きっ》と上躰を伸ばして力んだとたん、彼はまた自分がしゅんと縮まるのを感じた。

「ちづか、千束の錦木」と彼は呟いた、「千夜というと三年、おい冗談じゃないぞ」

「なにが冗談だ」

「えっ」と彼は振向いた、「ああちち上でしたか」

彼は養父の酒の相手をしながら、それをすっかり忘れ、自分の回想に没頭していたことに気づいた。

「おまえはまた、おれの話を聞いていなかったのだな」

「もちろん聞いていましたとも」と数馬は云った、「ただその、あまり勇壮すぎるので、われ知らず失言してしまったというわけです」

「そんなに勇壮だと思うか」

「勇壮だと思わないような者がいたら、私はそいつに決闘を申込みますね」

「そうこなくてはならん、うん」と三郎太郎左衛門は盃《さかずき》を口へ持ってゆきながら、上機嫌に頷いた、「いま自分で考えてみても、二俣城《ふたまたじょう》の合戦は筋肉に瘤《こぶ》が出来るくらい、激戦ちゅうの激戦じゃあったな、おれは例の一丈二尺の大槍をふるって、右に左に敵を突き伏せ、雨あられと飛び来る矢だまの中をおもてもふらず、まっしぐらに敵の城門めがけて突進した」

もうそろそろいつもの時刻であった。

――このおやじめ、今夜はいつまで、ほらを吹き続けるつもりだろう。

これこそ「てっぺん」大ぼらだ。五橋三郎太郎左衛門はいちども戦場へ出たことはない、彼はいつも兵站《へいたん》か糧秣《りょうまつ》の輸送係だったし、そのことは大伯父の大久保彦左衛門もはっきり証言しているくらいであった。けれどもいまの若い者たちは知らないから、うるさいじじいだと思うくらいで、結構その大ぼらは通用するようであった。

「お話の途中で失礼ですが」とやがて彼は痺《しび》れをきらして云った、「これから戦記物の写しがございますので、私はこれでさがらせていただきます」

## 二の三

奥平邸のいつもの場所へ着いたのは、例刻より少しおくれていた。信じがたいほど蒸し暑い夜であり、自分で舟を漕《こ》いで来た彼は、着物までとおすほど汗になっていた。

錦木の枝を挿すのは、燈籠《とうろう》の根元のところである。彼は汗をぬぐい扇子で風を入れながら、暫く息を休めていると、向うから早苗のやって来るのが見えた。暗い植込のかなたに、ぼっと白く単衣姿《ひとえすがた》がうかび、それがこっちへあゆみ寄って来るのを見て、数馬は扇子を持ったほうの手をあげて、さし招いた。――ところが、近よったのを見ると早苗ではなく、ちづか姫その人であった。白地に秋草を小さく染めだした単衣に、なにやら縫取り模様のある帯をしめ（念には及ばないだろうが当時はまだ幅がせまく、胸さがりにしめる帯だったが）片手に女扇を持っていた。

姫が逢いに出てくれるのは五回にいちどぐらいで、それも、はなれたところから会釈する程度だったから、数馬は感激のあまり肉躰《にくたい》的にも精神的にもふるえだした。

「もう結構です」と姫が云った、「その枝はもう挿すには及びません」

これを聞いて、彼のふるえはいっそう高まった。

「と、仰《おつ》しゃると」彼は吃《ども》った、「その、いよいよの時が来たということですか」

「あなたのお気持はわかりました」姫はのびやかな口ぶりで云った、「との方のお心は変りやすいと聞きますけれど、今日までの辛抱づよく、少しも怠りのないごようすを拝見して、わたくしのほうがせつなくなってしまいました」

彼は身ぶるいをし、心の中で自分を面罵《めんば》した。

――このしれ者め、きさまはこの方を女の悪魔などとぬかしたんだぞ。

数馬は重おもしく低頭して云った。

「私の誠意がわかっていただけて有難いと思います、まるで夢のようです」

「わたくしもうれしゅうございますわ」と姫が云った、「これまでたくさんあった縁談を、ずっと断わりとおして来たかいがありました、もうあなたのほかにわたくしの良人《おっと》はございません。どうぞ末ながくお変りにならないで下さいまし」

「私は」と彼は吃った、「私はただ」

「それで、うかがいますけれど」

姫がそう云ったとき、五橋数馬はぎくっとした。昂奮《こうふん》の山の頂上に立ったとたん、急に眼の下が絶壁であることに気づいたように。

——また物語が出るな。

なにかまた故事とか、昔の古臭い恋の伝説なんぞを持ち出すのだろう。そう思ってうんざりしたとき、姫は言葉を継いで云った。

「結婚の第一の条件は、身分のつりあいだということを申します、奥平は御承知のとおり僅か十一万石の小大名にすぎませんので、あなたがもし国持ちの大藩の若殿でいらっしゃるとすると」

数馬は手をあげて姫の言葉を遮《さえぎ》った。

「待って下さい」と彼は云った、「それは初めに、早苗という侍女に伝えておきましたが、私は旗本不動組の五橋数馬という者で、国持ち大名などというそんな」

こんどは姫が含み笑いで彼の言葉を遮った、「まあ、そんな御冗談をわたくしが信じるとお思いですの」

「いや、冗談ではない事実です」

「いいえ」姫は優雅にかぶりを振った、「旗本に不動組などという侍《さむらい》俠客《きようかく》はございません、それは召使にしらべさせてよくわかっておりますわ」

「そうです、それはそうです」彼は頻にたかった蚊を平手で叩き、蚊は逃がしたが「失礼」と会釈して云った、「しかしあれはですね、つまり自己紹介するのにただ旗本だけではごろも悪し、なんとなく物足りないように思ったもので、つい知らず口に出たことを云ってしまったという」

「わかりました」と姫が云った、「との方はつまらないようなことにもつまらない虚勢を張るということは存じていますわ、それで、はっきりしたことをうかがいますけれど、旗本でお禄高《ろくだか》はどのくらいでございますか」

五橋数馬はがっくりとした。

——なんたることであろう。

これまでは深草ノ少将とか、錦木の千束《ちづか》とか、単純なものより複雑なものとか、なかんずく錦木などは現にこのおれに実行させるほど、優にやさしい物語的性格だったのに、そのままでいきなり、かくも即物的、現実そのものに転化するとはどういうことであるか、女性の頭の機構はどんなぐあいに出来ているのであるか、と彼は思った。

「ええ——」と彼は答えた、「男としてはっきり云いますが、五橋家は七百石の旗本で」

ちづか姫は笑った、「まあ御冗談ばかり」

「いや冗談などは云いません、嘘いつわりのないところ七百石の旗本で」

姫は「まあ」と云った。

「まあ」ともういちど姫は云った、「それ、ほんとうのことですの」

彼は勇気をふるって頷《うなず》いた。

「まあ」とまた姫は云った、「まあどうしましょう、——七百石の旗本、——七百石、それではまるでつりあいがとれませんわ」

「姫、——」と数馬が云った、「結婚というものは愛情が第一であって身分のつりあいなどというものは」

姫はかぶりを振って、「いいえ」と彼の言葉を遮った。

「いいえ」彼女は保護者のような眼つきで数馬を見、ほっと溜息《ためいき》をついて云った、「との方は幾つになっても子供ということを聞きますけれど、あなたも世間のことにはお暗いんですのね、だからいつの世でも女が側に付いていて、お世話し、面倒をみ、女だけが苦労しなければならないのでしょう、ようございます、わたくしあなたをあまやかそうとは思いません、初めが肝心ですからはっきりと申上げます」

姫はそこで軽く咳《せき》をしたが、数馬には太柱でも折れるような、するどい、胆にこたえる音のように感じられた。

「少なくとも」と姫は云った、「わたくしの良人になる方なら、槍を立てて歩くくらいの御身分でなければなりません、たった七百石ばかりのお旗本では、結婚してもあなた御自身にひがみ癖がつくばかりです」

私はひがみ癖などはつかない、と数馬が抗弁しようとするより早くちづか姫はみやびやかに会釈をし、ぽかんと口をあけたままの彼をうしろに、ゆっくりと御殿のほうへ去っていった。

「えい」と彼は頬にたかった蚊を叩き、こんどはみごとに蚊を叩きつぶし、それを頬ぺたの上でまるめながら呟《つぶや》いた、「——ざまあみろ」

二の四

——ざまをみろとはなんだ。

——いって鏡を覗《のぞ》いてみろ、そうすればいちもく瞭然だ、いって覗いてみろ。

——きさまはひねくれたやつだ。

——ざまあみろ。

五橋三郎太郎左衛門は盃《さかずき》の酒をぐっと飲みほし、片手で膝《ひざ》を叩いて「そのときだ」と話し続けていた。彼はそれまでに七人の敵の首級をあげ、いまや八人めの強敵と槍を合わせるところであって、彼の全身は闘志にわき立ち、固太りに肥えた顔は昂奮のためふくれあがり、酔いで赤くなった両眼は殺気を帯びてぎらぎらと光っていた。

「相手は北条がたでも勇名とどろく豪傑、丹波守《たんばのかみ》立原玄竜軒又兵衛だ」と三郎太郎左衛門は云った、「おれは七人の敵を屠《ほふ》ったあとで、さぞ疲れているだろうと素人は考えるであろう、糧秣隊の連中などはもの知らずだからして、おれが丹波守立原玄竜軒又兵衛と槍を合わせたと聞くと、たいがいな者が胆を潰《つぶ》し、尻端折《しりはしょ》りをしてその場から退散したくらいだ、ということは、元来が糧秣隊などに廻される人間はなっちゃない、刀の抜きようもろくさま心得ぬ兵六《ひょうろく》だまが多いので、このおれと玄竜軒又兵衛という豪雄と英傑との勝負になれば、見ているだけでさえたましいも消え肝臓が潰れてしまうらしい、鬼神も照覧あれ、糧秣隊の者どもは尻を捲《まく》って逃亡した」

「その、――」と数馬が寝ころんだままで、欠伸《あくび》をしながら反問した、「そんなその、戦場の第一線にどうして糧秣隊などがいたんですか」

三郎太郎左衛門は喉《のど》でぐっといい、それから憐《あわ》れむようにこの養子の顔を眺め、酒を注《つ》ごうとして銚子《ちょうし》を取りあげたが、それが空になっていたので「酒だ」とどなりたてた。

「それはいい質問だ、うん、なかなかいい」と三郎太郎左衛門は養子に向って寛容に頷いた、「質問というものはそういうふうに勘どころを突いてこなければいかん、うん、おまえにしてはできすぎた質問だ」

家士の大沼久内が銚子を持って来、空いているほうを持って去った。三郎太郎左衛門は手酌で飲み、その飲み干した盃で、空気を掻《か》きまわすような手まねをした。

「では、極秘のことを云うがな、数馬」と三郎太郎左衛門は猾《ずる》そうに声をひそめた、「これはこんにちまで厳秘になっているのだが、――そのときはじつは負けいくさだったのだ」

「ははあ」と数馬は寝ころんだまま云った、「するとちち上は、敗走しながら強敵とたたかい、七人までその首級をあげ、八人めに豪傑のたちまちばんりゅう軒と」

「立原玄竜軒だよ、数馬」と養父はやさしく云った、「丹波守立原玄竜軒又兵衛だ、北条がたの侍大将で天下に勇名のとどろきわたった人物だった」

「で、その人物と槍を合わせたんですね」

「すごい勝負だった」

「負けいくさで逃げながらでは、さぞいそがしかったでしょうね」

「転んでも只では起きぬ、これが徳川軍の金科玉条だ」三郎太郎左衛門は話題を変えるほうがいいと思ったらしい、盃で二三杯呷《あお》ってから、「負けいくさで思いだしたが」と興を唆《そそ》るように云った、「姉川の合戦のとき、織田軍の負けいくさを救ったことを話したかな」

数馬はまだ聞いていないという意味を、面倒くさそうに手まねで示した。

「それはおれの手ぬかりであった、あの話こそ後学のためにぜひ伝唱しておかなければならないだろう」三郎太郎左衛門は膝を乗り出した、「そもそもあれは元亀《げんき》元年六月二十八日、浅井家と織田家とが姉川において大決戦を演じたときのことだ、が、待て、その前夜のことを語っておかなければならぬ、すなわち六月二十七日夜、織田信長公にはわが陣地へ来られ、持参の槍一筋を神君家康公に示していわく、こはこれ鎮西《ちんぜい》八郎為朝《ためとも》のもちいし槍である、徳川家は源氏の正統なればこの槍を公に贈呈しよう、明日の合戦にはこれを持ってたたかい勝たれるがいいでしょう、と神君に渡された、しこうして、――」

数馬はまた欠伸をし、心の中で自分自身と問答をした。

——ざまをみろ、などという言葉にこだわっている場合ではない、どうしたら姫の望むような身分になれるか、ということが当面の現実的な問題だ。

——不動組でもおっ始めるかね。

——ふざけるな、侍俠客なんぞで出世ができるか、おれはまじめなんだぞ。

養父のいくさ話はいよいよ熱を帯びてき、身ぶり手ぶりを入れるので、膳の上では皿小鉢がおどったり触れあったりして、その話に音楽的効果を与えていた。

「浅井軍の攻鋒《こうほう》はするどく、織田勢の第一隊から第四隊、すなわち坂井右近、池田信輝、木下秀吉、柴田勝家ら各隊はみるみるうちに崩れたった、援兵たのむとの使番は引きも切らない、そこでおれと松永五郎太が救援にはせつけた、まず第一合が藤吉郎秀吉の陣だ、すでに中央が突破されようとしているから、おれはそこへ馬を乗りつけ、馬上に突っ立ちあがって大音に名のりをあげた。

やあやあ遠からんものは声にも聞け、近きは寄って拝顔せよ、われこそは清和天皇二十六代の後胤《こういん》、大洞田《おおほらた》親王がときのみかどの御勘気を蒙《こうむ》って三河に御配流《ごはいる》、ところの庄司宗高権右衛門は娘きわをもって御不遇の日夜を慰め奉りしが、——こう名のっていると、ひた押しに押して来た浅井の先鋒《せんぽう》がぴたりと止った」

数馬は首をあげて、「どうしたんです」と訊《き》いた、「なぜ敵はそこで止ったんですか」

「いまどきの若い者は」と云って養父はでっかい溜息をつき、頭を右へ左へとでっかく振った、「いまどきの若い者は、ああ、やれやれ、こんなにまで侍だましいは地におちてしまったのか、あの戦場のおたけび、矢だまの唸《うな》りはどこへいった、刀折れ矢尽きるまでたたかいぬき、兵鼓の音を念仏と聞いて、いさぎよくにっこと笑いながら死んだ幾千万のつわものどものたましい、一死奉公のあの壮烈な侍だましいはもはや見ることはできないのか」

「どうして浅井勢は止ったんです」と数馬がまた訊いた。

三郎太郎左衛門は軽侮したように養子を眺め、それからいきなりどなった。

「戦場の作法だ」

「なにがです」と数馬は重ねて訊いた。

「なにがって」養父はまっ赤になった、「おれはいまかれらの、つまり浅井勢の先鋒の前に立ち塞《ふさ》がって、——われこそは清和天皇二十六代の後胤、大洞田親王がときのみかどの」

「それはもう聞きました、しかしそれで、なにが戦場の作法なんですか」

三郎太郎左衛門は酒を飲んだ。

## 二の五

盃で二杯飲んで心をしずめ、大きく息をしてから、三郎太郎左衛門は云った。

「いいか、よく聞くんだぞ、戦場ではな」養父は右手で空中のなにかを押えるような手まねをした、「——槍を合わせるまえにお互いが名を名のりあうものだ、こんにちは、などと挨拶するくらいのものじゃない、お互いが生死を賭《と》した場合であり、家門のほまれをあげる大事な、——大事な、それ、侍一代の、あれだからして、先祖伝来の誇るべき家系を名のらなければならない、もちろん履歴を詐称するような者はないから、伝来の長い家系の者は名のるにも時間がかかる」

「相手はどうするんです」

「おれが先に名のるとすれば、名のり終るまで待っていて、こんどは相手が名のりをあげる番だし、相手が先に名のりだすとすれば、おれは相手が終るのを待っておもむろに」

数馬は遮った、「そのあいだいくさはどうなるんです」

「やっているさ」三郎太郎左衛門は肩をすくめた、「名のりをあげることもいくさのうちなんだ、というよりも、いくさは互いに名のりあうことから始まるんだ」

「中央突破という激戦なんでしょう」

「だからこそおれと松永五郎太が救援に駆けつけたと云ったろうが、これがわからないとするとおまえの頭も糧秣隊《りょうまつたい》なみだぞ」

数馬は起き直った。

「よく聞け、いいか」養父は指を一本立て、養子の注意力を集中させておいて、嚙《か》んで含めるようにゆっくりと云った、「——いいか、名のりをあげるあいだは、だな、相手は待って聞いていなければならない、いいか、そのあいだはじっと辛抱していて、斬りかかることなどはもちろん、ちょっかいを出してもいけないしふざけてもいけない、温和《おとな》しく自分の番になるまで控えていなければならないし、自分の番になったら、正式に自分の名のりをあげなければならない、ここではわかるだろう」

「――ような気はしますな」

「それならあとは説明するまでもあるまい」と三郎太郎左衛門は満足そうに云った、「おれも松永も伝来の長い家系だから、二人が敵の前に立ち塞がって名のりだせば、敵は名のり終るまで待たなければならない、すなわち、敵の中央突破はこれでぺしゃんというわけだ」

嘘をつけ、と数馬は思ったが、口には出さなかった。

「おれと松永はいつも多忙だった」と三郎太郎左衛門は夢みるような眼つきで、宙のどこかを見はるかしながら云った、「それ本陣の右翼が危ない、五橋と松永をすぐによこせ、それ榊原隊《さかきばらたい》が崩れかかった、どうか五橋と松永をよこしてくれ、それどこそこ、こんどはどこそこ、――いやまったく、いま思ってもじつに多忙で、席の温まる暇もないくらいだった」

数馬がなにか云おうとしたが、三郎太郎左衛門は自分の回想に酔い、その酔いのためにいつもの空想がわきだしたらしく、養子のことなどお構いなしに続けた。

「昔はもっと典雅だったようだ」と三郎太郎左衛門は続けた、「――おれや松永などよりも、桁《けた》外《はず》れに伝来の長い家系の侍がいて、いつのころであったかということはいまちょっと度忘れをしたが、それ、どこそこが危ないというと、おれたちのようにそこへ駆けつける、そうして、――

やあやあ遠からん者はと始めると、この侍のことは天下にあまねく知れわたっていたものだから、敵はもうどうしようもない、あいつがあらわれてはだめだというので、もしか食事の時刻だったりすると、みんな坐りこんで弁当を喰《た》べ始めたということだ」

「それだ」とふいに数馬が叫んだ、「いや、この手だ」

三郎太郎左衛門の手から盃が落ちた。養子の叫びがあまり突然であり、その声も大きかったので胆を潰したらしい。数馬は片膝を立てて向うを睨《にら》み、口をへの字なりにむすんで、時刻だな、と呟いた。

「これ数馬、どうしたのだ」

「でかける時刻です」

「こんな時刻にか、危ないぞ」と養父は云った、「ちかごろは夜になると、俠客とか申すならず者どもが暴れまわって、殺傷ざたが絶えないというではないか、それよりまだ立原玄竜軒との勝負が残っている、空前絶後のこの大勝負を聞かずして」

数馬はもう座敷の外へ出ていった。

約一刻のち、奥平美作邸の奥庭の、いつもの燈籠の近くで、数馬はなにか独り言を呟きながら、おちつきのない足どりで往《い》ったり来たりしていた。なにか口の中で独り言を云い、頭を振って夜空を見あげ、立停って「いや待て、待てよ」などと云ったかと思うと、仔細《しさい》ありげに唇を嚙みながら、また往ったり来たりするという動作を繰り返していた。

燈籠の脇にはちづか姫が立っていた。半刻《とき》ほどまえに姫は来たのだが、そのときすでに数馬はそんな動作を始めていて、姫が声をかけたら「静かにしろ」という意味のことを、不作法な口ぶりで云い、姫のほうへは眼も向けなかった。

——怒ったのかしら、と姫は思った。あまり待たせたので怒ったのかもしれないわ。

しかしそうでないようでもあった。途中でいちど立停り、袂《たもと》から錦木の枝を出して、燈籠の下の地面に突き立てたが、そうしながらも、「そのほかに手はない、手はほかにない」と呟いていた。その口ぶりは待たされたことを怒っているのではなく、なにか思案にくれているという感じだった。

——きっとつまらないことを考えているのよ、と姫は思った。なにか一つ考えつくと、男ってみんなこんなふうに夢中になってしまうのよ、海の水が満ちたり退《ひ》いたりするのはなんのためだろう、などというばからしいことでも、それこそ気でも狂ったかと思うほど考えこんでしまうんですもの、本当に男っていつまでたっても子供同然ね。

数馬は立停って姫を見、また歩きだそうとして、訝《いぶか》しげに姫を見返し、そして「あ」と大きく眼をみはった。

「いついらしたんですか、姫」と彼はびっくりしたように云った。

「もう一刻も経ちます」と云って姫は頬にとまった蚊をぴしりと叩いた、「わたくし怒っているところですのよ」

「一刻、一刻もですって」彼はうしろ頸《くび》にたかった蚊を叩いて云った、「だって、しかし私は、私はずっとここにいて」

「そうよ、ここにいて気でも狂ったように、独り言を云いながら往ったり来たりなすっていたのよ」と姫は云った、「わたくしがずっとここにこうしていたのに、――あなたもうちづかのことなどすっかりお忘れになってしまったのね、ようございますよ」

## 二の六

数馬が姫をどうなだめたか、ということは記すまでもあるまい。こういうときに女性の求めているものは、ごく単純で率直な表現なのだ。第一級の女たらしは、どんな場合にも言葉のあやなどで汗はかかないという。言葉などは三文の価値もないばかりか、むしろ女性を苛立《いらだ》たせるにすぎないそうである。特にこの場合のように女性のほうで拗《す》ねだしたときは、問答は無用。率直簡明になすべきことをなすほかはない、ということであって、――ここでいちおう読者諸氏の記憶を呼びさましておくほうがいいと思うが、これは寛永時代であり、精神的にも肉躰的にも、人類はまだ極めて素朴で健康で、へたな道徳律などに蝕《むしば》まれることなく、男も女も人間的自由をたっぷり味わうだけの能力を備えていたということである。

姫は身づくろいをし、髪へ手をやりながら、左の太腿《ふともも》のところを、（着物の上から）わからないように掻《か》いた。蚊に刺されたものであろう、数馬も袴《はかま》の紐《ひも》を緊め直しながら、頻《しき》りに脛《すね》のあたりを掻き、また頸筋をも掻いた。

「もう屋形へ戻らなければ」と姫はぽっと赤らんだ顔で、上眼づかいに数馬を見た、「こんなにおそくなっては、侍女たちが心配するでしょうから」

「申上げたことはおわかりですね」

「まあ」姫は袖で片頰を隠しながら、上気にうるんだ眼で彼をにらんだ、「そんなことあのときだけよ、恥ずかしい」

「いや」彼は咳をした、「そうじゃない、そのことじゃありません、私がちゃんとした身分に出世するまで、おめにはかからないということです」

「なんと仰《おっ》しゃって」姫の声はまだ恍惚《こうこつ》の中で眠っていた、「もういちど聞かせて」

ふしぎなことだが、いや、少しもふしぎなことではないかもしれないが、姫のようすがすっかり変った。奥平家の姫君という、高い気品と威厳のある容態が、いまは単なる「女性」に変貌《へんぼう》してしまった。身ぶりはもちろん、あふれるような媚《こび》を湛《たた》えたまなざし表情から、溶けそうにあまい言葉つきまで、恋に酔った町娘と些《いささ》かの違いもない。——氏より育ち、などと知ったかぶりを云う者もあるが、姫は氏もよし育ちもよく、紛れもない大名の姫君である。それがいっときのまに、まるでくるっと裏返しにでもしたように変るというのは、人間の本体が身分に左右されるものでないことを証明するように思われて心強い。

「よく聞いて下さい、いいですか」と数馬はまた咳をして云った、「あなたはいつか身分がつりあわないと仰しゃった、いやまあお聞きなさい、私もよく考えてみて、あなたの仰しゃるとおりだと思った、七百石ばかりの小旗本であなたを迎えるわけにはいかない、私はあなたにふさわしい人間になります」

「わたくしいまのままで満足よ」姫はそっと彼に凭《もた》れかかった、「あのときはなにも知らなかったから、身分のつりあいなどということを云ったけれど、今夜はじめて、女が幸福であるためにはなにが大切かということがわかったの、出世なんかなさらなくってもいいことよ、そんなこと心配なさらずに早く祝言を致しましょう」

「それはだめです」彼は静かに姫の軀《からだ》を押しやった、「私も一旦そう決心したからには、男ですから、それに、出世する絶好の目算もついたことですから、どうか私がひとかどの身分になるまで待っていて下さい」

姫はいやいやをし、鼻声を出し始めた。読者諸君、ちょっとあちらへゆきましょう、これからの二人の会話は退屈ですからね、その会話は二人だけには胸のときめくほど意味深いものだろうが、われわれ第三者にとっては、単に退屈なだけでなく、ばかばかしくって欠伸も出ないというものですから。——えいくそ、蚊がくやあがった。失礼。さてどうやら終ったようですな、数馬と姫がこっちへやって来ます、これまでこんなことはなかった。いつも姫は数馬を置き去りにして、さっさと御殿へ帰ってしまった。しかし今夜はそうではない、姫は数馬により添い、数馬の右手を自分の両手で握り、あまえた声で囁《ささや》きながら、奥庭の端まで送って来た。

「さあお別れです」数馬が立停って云った、「侍女たちが捜しに来ないうちに帰って下さい」

「あなたがいらしってから」

「私は石垣をよじおりなければならない、蟹《かに》みたいな恰好を見られるのはいやです」

「どんな恰好でもいいことよ」

「いやだめです、将来いっしょになってから、そんな恰好を思いだされたりすると良人の威厳にかかわります」数馬は姫を押しはなしてきっぱりと云った、「——五の日には必ず来ます、いい夢をごらんなさい」

「ねえ」と姫は身をすりよせた。

数馬はなにごとかをなし、「さあ」と云った、「これで本当にお別れです、どうか屋形へ帰って下さい」

「では五の日に、きっとですよ」

「約束は必ず守ります」

姫は彼の耳へ囁いた、「こんどは髭《ひげ》を剃《そ》っていらしって」

数馬は口のまわりを撫《な》でてから、そうしますと云い、姫はなごり惜しげに去っていった。

姫は去っていったが、いってしまったのではなかった。すぐに引返して来て植込の蔭《かげ》に身をひそめ、数馬のようすをうかがっていた。数馬はむろんそんなこととは知らず、姫の足音の遠ざかるのを聞きすましてから、——男とはいつもこんなふうにどこかしらぬけているし、女が相手のときには三歳の童児より愚かなまねをさせられる。いま数馬は、姫の足音が遠ざかり、御殿のほうへ消えてゆくのをたしかに聞きとめた。実際には姫はすぐそこへ戻って来ているのに、彼は消え去ってゆく足音をはっきりと聞きとめたのである。そして、彼はいつもの石垣のところへゆき、草履を舟へ投げこんでから、足掛りをさぐり、石垣にとりついて、用心ぶかくおりていった。

姫は植込の蔭から出て、石垣の端へ跼《かが》み、両手を突いてそっと下を覗いた。

「五の日、五の日か」と数馬の囁くのが聞えた、「月に三度の逢《お》う瀬《せ》だな」

姫はくすっと忍び笑いをした。が、すぐに「あ」と声をあげた。

「あ、数馬さま」と姫が叫んだ、「危ない」

数馬の片足がちょっと滑ったのである。なんでもないことで、片方の足だけちょっと踏みそこなったのだが、姫の叫びを聞いたとたん、他の足が滑り、石垣にとり縋《すが》っていた手も滑り、数馬の軀はずぶりと水の中へ落ちこんでしまった。

「蟹みたいだなんて」とちづか姫は失望したように云った、「よく云えたものだわ」

三の一

五橋数馬は大伯父の戦記を検討した。

彼は養父の合戦ばなしを聞いているうちに、一つの妙案を思いついたのである。激戦になってその陣地が危険だとなると、伝来の長い家系の侍を呼んで来て「やあやあわれこそは」と名のりをあげさせる。敵はその名のりの終るまで待たなければならない。昔ずばぬけた長い家系の侍がいて、これが危なくなった戦線へ駆けつけると、敵はうんざりして「弁当を喰べ始め」たという。もちろん三郎太郎左衛門の作り話に違いないが、数馬はそのとき急に眼がさめたように感じた。

――これだこれだ、この一手だ。

彼はすばやく頭で思案をまとめ、そうしてちづか姫を訪ねて、出世する目算のついたこと、その目算がうまくゆくまでは逢いに来ない、ということを告げた。後者の件は姫のいやいやと鼻声とで「五の日」だけ逢う、という約束に切替えられたが、目算のほうには早速とりかかった。

五橋家へ養子に来てから、数馬は養父のほら話を毎日のように聞かされて来た。まえにもちょっと記したとおり、三郎太郎左衛門は一度も戦場へ出たことがない。それははっきりした事実なのだが、養父はあらゆる合戦に参加し、つねに抜群の功名をあげたと主張する。どの合戦では一番槍、どの合戦では一番乗り、またどの合戦では一番首、かしこでは家康公を背負って逃げたとか、ここの戦場では殿軍《しんがり》をつとめて陣払いを成功させたとか、すべて第一級の勲功に輝くような話をするのであった。

伝来の長い家系の名のりが、戦線の危機を救うというほら話になったとき、数馬の頭の中で、これらの嘘戦談がにわかに集合し、凝集して一つの形をあらわした。

――大伯父を不世出の勇士にしよう。

大伯父の彦左衛門は、少年時代から戦塵《せんじん》の中に育った。これは紛れもない事実で、戦場生き残りの老人たちで知らない者はない。残念なのは大伯父の口述した戦歴が、かんばしくないことである。あまりにかんばしくない。雑兵でも顔を赤らめ、閉口して頭を掻きたくなるようなひどいものであった。

「書き直すんだ」といま数馬はその筆記をめくりながら呟いた、「うちのおやじの方式で、これを書き直し、直せないところはひん曲げ、第一級の戦歴をでっちあげるんだ」

彼は暫《しばら》く考えていて、ひょいと眼をあげた。

「それでどうする」と彼は自分に訊いた、「三郎太郎左衛門おやじならよろこんで触れ歩くだろうが、本所の伯父貴は屁《へ》もひっかけないだろう、それではどんなに立派な戦功をでっちあげてもなんの役にも立たないじゃないか、いたずらに反故《ほご》を拵《こしら》える……」

そこで数馬は口をつぐんだ。

数馬の軀は動かなくなった。両眼もすわってしまったし、呼吸も止ったようにみえた。云うまでもないだろうが、呼吸は止ってしまったのではなく、単に止ったようにみえただけで、右足の拇指《おやゆび》だけが時を刻むように動いているほかは、肉躰的にはまったく静止状態におちいってしまった。しかしその反面、精神的には活潑に揺動していた。それはまるで一人の築城家が、百万石の城郭を築くために構想を練っているかのような、没我的で深遠な姿であった。

「よし、まず一と当て当てることだ」よほど時間が経ってから、数馬はかっと眼をみはって呟いた、「あのじじいの躰内に眠っているもの、頭の中の記憶の幕に隠れているもの、そんなものがもしあればのことだが、——そいつをゆすぶり起こし、自尊心と慷慨心《こうがいしん》をかきたてることだ、これが第一着手だ」

数馬は立って外出の支度をした。

本所の大久保家には客があった。堀を渡って細い横丁をはいってゆくと、その住居の中から甲高い話し声が聞えて来た。ついぞ客などあったためしもないので、ちょっとはいりかねていると、庭木戸の向うで菊の鉢を洗っている太兵衛の姿が見えた。数馬はそっちへ近よってゆき、木戸のこっちから太兵衛に呼びかけた。——この家僕はあるじ彦左衛門より一つ年上で、すでに七十三歳の老齢だが、見たところは四十五六ぐらいであり、背骨もまっすぐだし、筋骨も逞《たくま》しく、膂力《りょりょく》は五人力以上といわれていた。

「客があるようだな」と数馬が声をひそめて訊いた、「誰だ」

「知らねえな」太兵衛は答えた、彼は主人以外の者には決して礼もしないし、ぶあいそでそっけなかった、「つまらねえ若ぞうだ」

「若ぞうだって、——侍か」

「ばけ物みてえな若ぞうだ」

「するとしっ尻尾《しっぽ》でもあるのか」

「ひてえにあるようだ」額のことだろう、太兵衛はそう云うと数馬を睨んだ、「そんなところでぐずぐず云わねえで、さっさとへえってみたらどうだ、そんなところでつまらねえ声を出すと、この菊の機嫌に障るだぞ」

「菊にも機嫌のいい悪いがあるのか」

「よしよし」と太兵衛は鉢の菊に向って猫撫で声を出した、「いまに水でも浴びせて追っ払ってくれるからな、ちかごろの若ぞう共はなにも物を知らねえだから、あんなものはのら犬が吠えてると思えばいいだ」

数馬は玄関のほうへいった。

太兵衛が庭にいるのだから、案内を乞うたところでしかたがない、彼は大きく声をかけてからあがり、刀を右手に持って、話し声のする座敷へはいっていった。大伯父は縁側に近いところで、刀の手入れをしてい、数馬を見ると「はいれ」という眼つきをしたまま、刀の手入れを続けていた。

客は座敷の中央にいた。肩幅の広い、骨太の、すばらしい躰格である。坐っているから断言はできないが、背丈も数馬より一寸くらいは高いらしい、五尺九寸くらいはあるように見える。しかし、その姿恰好を見ると、太兵衛が「ばけ物のような」と云った意味がわかった。それだけの躰軀《たいく》をしているにもかかわらず、客は大振袖《おおふりそで》の熨斗目《のしめ》に色変りの派手な袴《はかま》をはいているし、頭は少年のような前髪立ちであった。

——ひてえに尻尾か。

太兵衛の言葉を思いだすと、急におかしくなり、数馬は笑いたくなるのをけんめいにこらえるので、赤くなった。

「そこもとは誰だ」とその前髪立ちの青年は彼を睨んだ。

「私はこの家の縁者で」と数馬は答えた、「五橋数馬という者だ」

「いつはしかずま、ふん聞いたような名前だな」と青年は云った、「必要もあるまいが、そっちの名を聞いたからには名のらずばなるめえ、よくこのしゃっ面を見おぼえておけ、おれはいま大江戸に隠れもない旗本白柄組《しらつかぐみ》の頭領、水野十郎左衛門成之だ」

三の二

五橋数馬は真正面から相手を見た。

――こいつが評判の男か。

赤鞘組《あかざやぐみ》の水野十郎左衛門と、あの奥平家の若い腰元も声をはずませていた。そこでこっちも不動組などと出まかせなことを云い、あとでちづか姫に恥をかかされたのであるが、ともあれいま流行の町人侠客、町奴《まちやっこ》どもに対抗して、江戸市中に知られた水野とは、こんな前髪立ち大振袖の若ぞうだったのかと、数馬は少なからずがっかりした。

世間から不良少年とか、よた者などと云われるような人間ほど、自尊心ということに敏感である。自分が世間からはみ出ている、というひけめが絶えず意識の芯《しん》にあるので、人の軽侮や嘲《ちょう》笑《しょう》はびりびりとこたえる。十郎左衛門も軀こそ大きいが、年はまだ十七歳で、要するに不良少年の一人だったから、数馬が自分をどう思ったかということは、その表情ですぐに感じとった。

「ああ、おめえのことは聞いてるぜ」と十郎左衛門はわざと悪がった口ぶりで云った、「天下の旗本として扶持《ふち》を頂いているのに、金を賭《か》けて野試合をするそうじゃねえか」

数馬は黙っていた。

「おい」と十郎左衛門は顎《あご》をしゃくった、「賭け試合なんぞをして恥ずかしくねえのか」

「恥ずかしいな」と数馬は答えた、「恥ずかしいからもうよしたよ」

「恥ずかしいからか」と十郎左衛門はたたみかけた、「それとも多勢の見物の前でみじめに負けたからか」

「詳しいじゃないか」と数馬は微笑した。

「釆女ケ原の試合のことは知らぬ者はない」と十郎左衛門が云った、「賭け試合がけしからんばかりでなく、旗本五橋と名のるもけしからん、そのうえ大田原禅馬などというあぶれ浪人のために、多勢の見る前で敗北するとは旗本ぜんたい、いや、ひいては将軍家の御威光をもけがすものだ」

そしてなお、すばらしく口ばやに、数馬を非難し、問罪し、譴責《けんせき》した。頭もさして悪くはないらしく、それらの語彙《ごい》は豊富であり、かなり洗練されたものであったが、あんまりすらすらと流れ出てくるし、一種の調子が付いているので、却《かえ》ってそらぞらしく耳障りに聞えた。

――こんなふうな饒舌《しゃべ》りかたを聞いたことがあるな。

数馬は相手のよく動く口を眺めながら、ぼんやりとそう思った。

――慥《たし》かに聞いたことがある、慥かにこんな調子だった。

彼の記憶の中ぐらい奥のほうから、その声は聞えて来た。初めは、「しえーしえー」という声で、次にはその前提となる言葉、意味はわからないが、「これなん」といい、「なんでやっさっしえー」というのであった。

そうだ、釆女ケ原の帰りだ。数馬ははっきり思いだした。

――相手は町奴だった。

たしか二三人で、当の男は頬へ赤い鎌髭《かまひげ》を書いてい、いさましく六方を踏んでみせた。そうだ、あの町奴の言葉つきと似ているんだ。町奴も尋常な町人言葉ではなく、ひどく威嚇的《いかくてき》であり、独特の調子が付いていた。

――つまり同類なんだ。

片方は町人侠客。こっちは侍侠客。片方が赤い鎌髭を書けば、こっちは前髪立ちの大振袖。どちらも派手ななり風俗を誇り、大口を叩いて巷《ちまた》をのし歩き、名をあげるために喧嘩《けんか》を売ってまわる。この十郎左衛門のきのきいたようなせりふも、要約すれば「なんでやっさっしえー」にすぎないのだ。こう思うと可笑《おか》しくなって、数馬はつい笑いだしながら云った。

「しえーしえー」

十郎左衛門はぴたりと黙り、眼をみはって数馬を見た。しえーしえーと云って、片手を振った数馬のしぐさが、なにを意味するか理解できなかったが、理解できないままで、なにかしらぴっと胸へひびくものが感じられた。

——これはちょっとした人物らしいぞ。

十郎左衛門がそう思ったことは、その端麗な相貌《そうぼう》の上にありありとあらわれた。

「その非難には一理ある」と数馬は相手に隙のできたのを巧みにとらえた、「しかしおれも無思慮でやったことではない、浪人どもが辻《つじ》や広場に高札を立て、われに勝った者には賞金を呈するという、これはお膝元を恐れぬ致しかたであり、幕府に対する挑戦とみなければならない、そう思ったから、おれは旗本全体を代表したつもりで挑戦に応じたのだ」

「むろん」と彼はすぐに続けた、「賞金などは問題じゃあないし、賭け勝負などとはまったくの誤解だ、挑戦に応ずる以上、勝てば約束だから金は受取る、だがこれは賞としてではなく、腕も立たぬくせに将軍家お膝元を騒がせた罰として取るのだ」

「また」と彼はさらに云った、「たとえ相手があぶれ浪人にもせよ、試合をするからには身分と姓名を名のるのが作法で、それでこそ旗本ぜんたいを代表する意味にもなり、おれが責任を回避するものでないという証拠にもなる筈だ」

「最後に一つ」と彼は坐り直した、「釆女ケ原で大田原に負けたことだが、慥かにおれは敗北した、だが東照公の御遺訓」

数馬がじろっと横眼をくれると、十郎左衛門ははっと不動の姿勢をとった。肩と胸をできるだけつっ張り、両手を膝に置き、まっすぐ正面を眼八分に見た。

「東照公の御遺訓に」と数馬は脅やかすような、荘厳な味をきかせながら続けた、「――勝つことを知って、負けることを知らざれば、いいか、勝つことを知って負けることを知らざれば、害その身にいたる」

「それこそてっぺん御名言だ」と向うから彦左衛門が云った、「おれは幾十たびとなく、東照公のお供で戦場を駆けめぐったが、公ほどきれいに負けいくさをなさる方はなかった、勝ちいくさは稀《まれ》だったし、あまりみごとな勝ちぶりはなかったが、負けいくさとなるとそのみごとなこと、――こいつうまくないとみるなりぷあーっと退却だ」

手入れをしていた刀を下に置き、彦左衛門はいさみ立って、両手を左から右のほうへ振り払った。それは敗走する軍勢の姿を、いかにも活き活きと描きだすようにみえた。

――この伯父は負けいくさの話になると活気づいてくる、いつもこれだ。

数馬は当惑し、自分の話を続けようとしたが、いちど堰《せき》を切った老人の舌流はもう止めることはできなかった。彦左衛門は袴の裾を捲《まく》って、両の膝がしらを出し、それを平手で交互に叩きながら、自分が現にその眼で見、その軀で経験したところの「負けいくさ」について、いさましく精力的に語りだした。

## 三の三

約一刻、水も啜《すす》らずに話し続けるのを、数馬は（いつものことだから）殆んど退屈しながら聞きながしていたが、十郎左衛門は吃驚《びっくり》したらしい。吃驚しただけでなく、老人の話を信ずべきか、それとも嘘っぱちを云っているのかという、不安定な気分で、そうしてまじめに吃驚している、というようすであった。

「お話の途中ですが」と辛抱できなくなったように、十郎左衛門が口をさしはさんだ、「私は本多平八郎さまの武勇談を詳しく聞いています、ことに関ケ原の合戦における抜群のお手柄は」

「作り話だ」と彦左衛門は右の膝がしらを叩いた、「てっぺん作り話だ」

「しかし世間ではみな」

「世間が戦場へ出たか」と老人は遮《さえぎ》って反問した。「世間があの泥まみれの関ケ原でたたかったか、ふん――おれはあの雨あがりの、泥んこの関ケ原で、泥んこになってたたかった人間だ、本多平八郎がどんなことをしたかは、おれがこの眼で」彦左衛門は自分の眼を指さした、「――この眼で見ているんだ」

「ではあの手柄ばなしは」

「平八郎はすぐれた武将だ、うん」と老人はおうように頷いた、「御旗本にも何人と指に折られる人物だ、いいか、だがそれだからといって戦場でいつも功名手柄を立てるものじゃない、たとえば関ケ原だが、彼は総攻めになったとたん、自分の乗馬を流れだまで射殺された、騎馬戦での突撃、まっさき駆けて突込もうとしたとたんのことだ」

「どうなされました」十郎左衛門は膝《ひざ》を乗り出した。

「どうしようがあるか、馬は射ち殺されたのだ、お前ならどうする」と彦左衛門は云った、「さすがは平八郎、じたばたはしない、傍らにあった石に腰を掛けてゆうゆうと待った」

「なにをですか」

「馬をさ、ほかになにを待つ」と彦左衛門は問い返した、「騎馬戦の突撃で馬を失って、ほかになにを待つというんだ、舟でも待つと思うのか」

「失礼しました」と十郎左衛門はいさぎよく低頭した。

「平八郎は空き馬の来るのを待った、少しもせかない、ゆうゆうたるもんだ」と老人は続けた、「あたりは陣鉦《じんがね》、兵鼓、矢だまの唸《うな》り兵馬のおたけびで、天地もどよめくようなすさまじいありさまだ、そこへ自分の家来の一人が馬を駆ってあらわれた、石に腰を掛けて待っていた平八郎は、それを認めて立ちあがり、両手を振って呼び止め、その馬をおれに貸せえ——と大音に叫んだ」

数馬は欠伸《あくび》をかみころし、十郎左衛門はもう一と膝乗り出した。

「して」と十郎左衛門が訊いた、「そのときその家来は」

「さすがは本多平八郎の家の子だ、うん」と彦左衛門は左の膝がしらを叩いた、「主人が双手《もろて》を振って呼びかけたに対して、彼は眼もくれなかった、戦場のことでござる、と叫び返した、いいか、戦場のことでござる、たとえ頼うだお方なりともこの馬お貸し申すことはまかりならぬ、御免と云ったときはもう二十間も先へ駆け去っていた」

「すると本多さまはどうなされました」

「どうしようがあるか、彼は石に腰を掛けていたさ」と彦左衛門は云った、「合戦が終って、珍しく勝ちいくさだったが、馬寄せの法螺《ほら》が鳴るまで、本多平八郎はそうやって石に腰掛けていた、これがてっぺんしんじつの話だ」

「信じられない」十郎左衛門は首を振りながら独り言を云った、「私にはどうしても信じられない」

「それが世の中というものだ」と彦左衛門はまた刀の手入れを始めながら云った、「東照公のたぐい稀な辛抱づよさと、譜代の家臣たちの不屈な努力とで、徳川家はついに天下を取り、征夷《せいい》大将軍も家光公で三代になった、――だからこそ、負けいくさが勝ちいくさといわれ、臆病者が豪傑といわれ、ありもせぬ戦場の功名ばなしがそのまま信じられるのだ」

「それでは青史《せいし》を誤るではありませんか」

彦左衛門は振向いて、なにか珍しい生き物でもみつけたように、まじまじと十郎左衛門の顔を眺めた。

「おまえは」と老人は審《いぶか》しそうに訊き返した、「おまえは、史記などに書いてあることを信用するか」

「もちろんです、史書があり伝記があればこそ、人はその祖先を知り家系を知ることができる、いかなる人びとが、いつどこで、どのようなことをし、それを誰がどのように受け継いだか、こういう正しい史実を慥かめることが、私のこんにちあることを証明するのではありませんか」

彦左衛門は手にした刀へ眼を戻した。

「そうではありませんか」と十郎左衛門がくいさがった、「私の考えは間違っていますか」

「おまえがそう思うなら」と老人は刀をみつめたままで云った、「それはおまえにとってしんじつだろう、自分でこれがよしと信じたら、他人の意見など聞くことはない」

「しかし貴方は八十歳という御高齢で」

「七十二だ」

十郎左衛門は「う」といった。

「それは」と十郎左衛門は吃《ども》った、「――本当のことですか」

「年か、うん、年は七十と二歳だ」

「私は、――」十郎左衛門は唾をのんだ、ごくっと喉で音がし、彼は云った、「それは失礼を申しました、私は慥かに八十歳になられたと聞いておりましたので」

「では八十歳だと思っているがいい、おれには痛くも痒《かゆ》くもないことだ」

「いや、そうはなりません、城中で諸侯が話されるときにも、御老躰は八十歳になられると、いちように申しております、これまた青史を誤られるもとですから、ぜひともいまのうちに訂正しておかなければなりません」

彦左衛門は刀を鞘におさめ、「太兵衛」と呼びながら、立っていってそれを刀架けへのせた。二人の若者にはもう眼もくれず、太兵衛が来ると、風呂をたてろと云い、そこへ肱枕《ひじまくら》をして横になった。

「出よう」と数馬は十郎左衛門に囁いた、「ひる寝の時刻で、雷が落ちても起きやあしない、いや、挨拶も無用だ」

十郎左衛門は老人を見た。嘘か本当か、老人はもう鼾《いびき》をかいていた。狸《たぬき》ねいりじゃないかと疑わしかったが、数馬に促されて、十郎左衛門はしぶしぶ立ちあがり、二人でいっしょに大久保家を出た。

## 三の四

それから十郎左衛門の案内で、吉原の遊廓《ゆうかく》へゆき、大加茂楼という妓楼で酒を飲んだ。遊女たちのほかに、女の踊り子や男芸者などを呼び、三味線、太鼓、鼓、笛と、鳴り物入りの唄や踊りで、たいへん賑《にぎ》やかな座敷になった。

――こいつは弱ったな。

数馬は心の中で舌打ちをした。彼はこんなつもりではなかった。数馬は、十郎左衛門をうまくたきつけて、自分の計画に利用しようと思い、そのためいっしょに出たのであった。

——こいつは大伯父を崇拝している。

水野十郎左衛門がなんのために大伯父を訪問したか、それはまだわからない。単に、もっとも高齢な戦場生き残りの古武士、という点にひかれた好奇心からであるかもしれない。しかし彦左衛門に対する十郎左衛門の態度には、不良少年に似あわないきまじめな、尊敬、というより崇拝に近いものが感じられた。

——そればかりではない、あのじいさんはそれに火をつけてくれた。

合戦は負けいくさのほうが多かった。豪傑はいなかった。藤堂高虎《とうどうたかとら》は大坂の陣で敗走した。榊原康政《さかきばらやすまさ》は小田原のいくさで逃げそこない、危なく雑兵の手にかかろうとした、自分はもちろんこれこれしかじか。逃げた覚えはあるが手柄をたてた記憶は一つもない。うんぬん、うんぬん。という話を聞いて、十郎左はすっかりめんくらった。

——彼は信じないだろう。

十七歳で白柄組《しらつかぐみ》という、侍俠客《さむらいきょうかく》の頭領になるほどの男だ。勇壮な説話は信じるだろうが、彦左衛門の話したようなことは信じないに違いない。否、むしろその逆のほう、つまり老人が世を拗《す》ねて、事実をわざと反対に誇張しているのだ、と考えるかもしれない。俠客などを気取る人間はえてしてそういうものだ、と数馬は思った。

——つまり火のついた鉋屑《かんなくず》だ。

乾いている鉋屑へ、彦左衛門が火をつけたようなものだ。これを利用しないばかはない、もう一と煽《あお》ぎ煽いでやれば、火は勢いよく燃えあがり燃えひろがる。

——よし、こいつをたっぷり煽いでやろう。数馬はこう思って、しきりにたきつけにかかるのだが、妓《おんな》や芸人たちの騒ぎがやかましいし、十郎左衛門は自分の妓と酒に夢中で、数馬の云うことなどろくさま聞いてもいなかった。そればかりではない、数馬の妓は薫《かおる》といい、鼓がうまく、縹緻《きりよう》もぬきんでているが、座にあらわれたとたんから、数馬に「しんそこ」惚《ほ》れんしたそうで、人の見ているのも構わず、彼のふところへ手を入れたり、抓《つね》ったり擽《くすぐ》ったり、かじりついたりするのであった。

「おいよせ」数馬は手を振り放した、「おれは水野と話があるんだ」

「ばからしい、ここは廓《くるわ》ですよ」と妙な訛《なまり》のある言葉で薫は云った、「話は帰ってからになさいな、ここは遊ぶところだから遊ぶだけにするの」

北国の言葉に吉原の「さとことば」が混ったものらしい、だべさ、などと云ったあとで、りんす、とか、きやんせ、などと云うので、意味を解するのにてまがかかった。

「あたしが馴らしてやるわ」と云って、十郎左衛門の妓も寄って来た、「あんたなにをそんなに固くなってるのさ」

これもまた混成言語だが、大体はそういう意味らしいし、それがまた思いきって乱暴な、ずけずけした云いかたで、数馬の側へ来たままはなれなくなった。

十郎左衛門が妓たちに好かれていないことは、数馬にもすぐわかった。どうしてだろう、数馬などより段違いな美貌だし、前髪、大振袖、年も十七歳という、若木の精悍《せいかん》さに満ち満ちている。にもかかわらず妓たちはみな眼もくれようとしない。相方の妓は紫という源氏名で年は十七か八だろう、縹緻も薫より一と際《きわ》たちまさってい、気性も強いようであるが、十郎左衛門のことは番頭新造とかいう女に任せきりで、酌もしないし、差された盃《さかずき》を受けようともしなかった。

——よし、逆手に出てやろう。

紫が寄って来たとき、数馬はそう思った。十郎左衛門は紫のことなど気にもとめないようすで、新造に酌をさせながら寛濶《かんかつ》に飲み、芸人たちの芸を興ありげに眺めている。しかし「気にもとめない」という態度は、そのままで彼自身を裏切っていた。

——よっぽどの執心だな。

遊び馴れてはいるようだが、年の若さはどうしようもない。十郎左衛門が紫に執心だということは、彼の眼つきや表情だけでよくわかった。

「そんなにおれをそそるとあとが怖いぞ」と数馬は紫に云った、「水野などと違っておれはやぼな人間だし、女にもてたというためしがない、こういうちょっかいを出すと本気になって惚れるぞ」

「うれしいじゃないか」と紫が数馬の腕を摑《つか》んだ、ねえかと聞えたが、ないかのほうが正しいだろう、「あたしたちだって女だもの、たまには本気な恋がしてみたいわ」

みてえわえ、と聞えたが、そう云いさま摑んだ腕をたぐりよせ、片手をぐいと数馬の頸《くび》へ巻きつけた。

数馬がそう思ったとき、紫の唇がぴったりと彼の唇へ吸いついた。

——房州の女だ。

——でなければ相模《さがみ》だ。

数馬はこう思って、彼女の手からはなれようとしたが、腕を摑んでいる手はびくともせず、吸いついた唇はますます強く吸いつくばかりであった。

「むう」数馬はもがきながら鼻で叫んだ、「うむ、むう」

「なにすんだおめえは」と薫が叫んだ、「これ、おらの客をどうすんだよ、このあまっ子」

薫がむしゃぶりつくと、紫は数馬の唇に吸いついたまま、片足でぱっと薫を蹴《け》とばした。馬の生れ変りではないかと疑われるほど巧みな蹴りかたで、薫は仰向《あおむ》きにひっくり返った。

「おいよせ」数馬は僅かに唇の隅からどなった、「みっともない、いいかげんにしろ」

そこへ薫がとびかかり、数馬は命拾いをしたおもいで、座敷の片方へ難を避けた。

みんな総立ちになって止めにかかったが、紫と薫の格闘はすさまじいもので、近よることさえできなかった。あとで聞くとその妓楼は一流の大籬《おおまがき》で、妓はどちらも太夫《たゆう》と呼ばれる地位。むろん歌、俳諧《はいかい》から諸芸に至るまで堪能ならざるはない、ということであった。数馬はなにも知らなかったから、そのすさまじいありさまを見て胆をぬかれ、同時に、喧嘩《けんか》のもとは自分だということに気づいて、十郎左衛門のところへ走り寄った。

「おい、出よう水野」と彼は云った、「これでは興ざめだ、席を変えよう」

「興ざめだな」と十郎左衛門も云った、「よし出よう」

三の五

吉原の遊廓は去年の十一月に全焼し、仮宅という建物でしょうばいをしていたが、このとき引手茶屋というものが初めて出来た。いや、それは新吉原へ移ってからだ、と力んで反対する説もあるようだが、そういう考証は好学の士に任せるとして、ここでは二人は引手茶屋へあがったのだから、呼びかたの当不当はべつとして、話を続けよう。

数馬はこんどは用心をして、芸者なるものは男女にかかわらず拒み、二人だけで飲みながら、例の煽動《せんどう》にとりかかった。

十郎左衛門は予想どおりかもであった。彦左衛門の話は事実ではない、世の中を拗ねた逆説である。こう切りだしただけで、わが意を得たりというように、形のいい唇をひき緊めて大きく頷《うなず》いた。自分もそう思った、彦左老の功名談はいろいろな人から聞いているし、われわれ白柄組の者は、かねてからみな老を尊敬していたのである、と十郎左衛門は云った。

「それで、もう八十歳という高齢であり、いつ万一ということがあるかわからないと思ったので」と十郎左衛門は続けた、「いちど直接おめにかかり、戦場の話を御自身の口からうかがいたかったのだ」

「だめだな、それは」と数馬は思わせぶりにゆっくりと首を振った、「あの大伯父はいまの世を見限ってしまった、士道は地に落ちた、侍だましいは腐れはてた、もうなにもかも救いがたいと云っている」

「それは御老躰《ろうたい》の云われるとおりだろう、おれもそう思うからこそ、赤鞘組《あかざやぐみ》という結社を作って、士風を喚起しようと思ったのだ」と十郎左衛門は云った、「ところが、世間にはやはり慷慨《こうがい》の士がいて、しだいに同志の数も多くなり、そこで白柄組と改名のうえ、積極的に士道作興に乗り出したのだ」

「たのもしいな」

「これを見てくれ」と云って十郎左衛門は脇にある刀を取ってみせた、「柄は白磨きの鮫皮《さめがわ》、鞘はこのとおり赤塗りだ」

「赤鞘白柄組か」数馬はそう云って、仔細《しさい》ありげに声をひそめた、「だが、もし本当に士風を作興するとしたら、そこもとたちの運動と呼応して、幕府閣老たちにもはたらきかけなければだめだ」

「それはまたなぜだ」

「閣老の中にはそこもとたちの真意を理解しようとせず、侍侠客などとは幕府の威信をけがすものだ、弾圧すべしの主張をする向きさえある、いや、これはおれが慥《たし》かな筋から聞いたことだ」

「それは事実だろうな」

「はっきりした動機がある」と云って数馬は意味ありげに口をつぐみなにかないか、なにかないかと、心の中で動機を捜し、十郎左衛門が口をひらくまえに、危なく思いついて続けた、「夏のはじめだったか、坂部三十郎が町奴とはでに喧嘩をしただろう」

「喧嘩はしたが、あれは向うから売って来た喧嘩で、坂部におちどはなかった」

「このばあい理由は問題ではない」数馬は言葉に重おもしい味わいを添えた、「旗本ともある者が町奴ふぜいと喧嘩をしたという、その事実が、頑迷な一部の閣老を怒らせたのだ」

「うん、そうか」十郎左衛門は腕組みをして唸《うな》った、「それはありそうなことだ」

かもだな、こいついいかもになるぞ、とそのとき数馬は思った。

「だからここで」と数馬は云った、「閣老内の頑迷な勢力を押える、なにか強い手を打たなければならない、さもないと士道作興という意義ぶかい運動は、単に無頼な侍侠客として葬られてしまうぞ」

十郎左衛門は腕組みを解き、純真な、涼しい眼で数馬を見た。

——こいつらはきれいな眼をしているな。

数馬はそう思った。彼はこれまでにも数人、侍侠客のなかまの青年を知っているが、ふしぎなくらい、その不良どもはきれいな眼をしていたし、激しやすいのと、挑戦的な驕慢《きょうまん》さを除けば、みな純真でひたむきで、愛すべき性質の少年たちであった。

「なにか策がありますか、五橋さん」十郎左衛門の言葉つきが変った、「もしあるなら教えてくれませんか」

「あるにはあるが、非常に困難だ」

「どういうことです」

「あの大伯父だ」と数馬は云った。

十郎左衛門はあとを待った。

「見たとおり伯父はすっかりいまの世に絶望して、朝顔や菊などを作って俗塵《ぞくじん》を避けているが」と数馬はそこでまた声を低くした、「じつはあんなことをしていてはならない、いつでも大城へ乗込んでいって、閣老はもちろん、将軍家にさえも御意見を申上げる特権を持っているのだ」

「大久保老がですか」十郎左衛門の表情は緊張のあまり硬《こわ》ばった、「しかしそれは、どういうわけです」

「伯父は天下の御意見番なのだ」

「――天下の、はあ」

「東照公からじきじきにお墨付が戴《いただ》いてある、文句はいまはっきり思いだせないが」と云って数馬は上唇を嚙《か》み、上眼づかいに天床《てんじょう》をみつめながら、一句一句ゆっくりと続けた、「――うんぬん、うんぬんと、前文は略して、幕府政道について不審ある場合はもちろん、将軍家たりとも不たしなみのおこないがあったときには、随時登城して直諫《ちょっかん》すべし、そのほう一代、天下の意見番に申付くるものなり、こういう意味のもので、むろん家康公の御署名と花押《かおう》がある」

「それは」と十郎左衛門が息をのんだ、「それは、ゆゆしいことではありませんか」

「ゆゆしいことだ」と数馬は頷いた、「しかし肝心の伯父はもうそんなことは忘れてしまっているらしい、つまりそれほど世情人心に見切りをつけているのだが、もしわれわれの力で伯父の心を奮起させることができ、天下の御意見番として、出馬する気にならせることができれば、お上のためはもとより、徳川家万代のために非常な効果をあげることができると思う」
「どうしたら御老躰を動かせるでしょうか」
「非常にむずかしい」数馬はしんじつむずかしいような顔をした、「しかしもしも、――白柄組諸君の協力が得られるなら、手段がないこともないと思う」
「私どもの協力でよかったら、仰《おっ》しゃるとおりなんでもしましょう」
かもかもとほくそ笑いながら、数馬は慎重な口ぶりで囁《ささや》いた、「よし、もっと近くへ寄ってくれ」

## 四の一

「おっそろしく矢継ぎ早だな」と五橋数馬はめしを掻《か》きこみながら呟《つぶや》く、「あとから、あとから、事がこう押せ押せにつながって来るということもないもんだ」
「ことわざに嘘はないな」と彼は古漬けの大根を噛み、めしを頬張りながら云った、「不幸や災難は単独では来ない、必ず複合して来るものだというが、古人は経験によってしんじつを――待てよ、これはしかし、不幸とか災難とは云えないぞ」

数馬は焼いた干魚を骨ごとばりばり嚙み、古漬けの大根で味に厚みを加え、めしへ湯を掛けてざくざくと口へ流しこんだ。

「災難でも不幸でもない」そう云うと口からめし粒がこぼれ、彼は箸《はし》を持った手でそのめし粒を拾って口へ抛《ほう》りこんだ、「これはいわば多事多端ということだろう、多事多端、——いやこれもおかしい、多事多端が単独で来るということはない、そもそも多事多端ということがいろいろな問題の複合した状態なんでしょうからね、この干物はいかれてるぞ」

焼いた干魚の残った部分を、箸で鼻へ持っていって嗅《か》ぎ、それが古くなって脂肪の臭みを発していることに気づき、だが、彼はもうその大半を頭からばりばり喰《た》べてしまっていることにも気づいて、顔をしかめながら舌を出した。

いまはもう九月、晩秋になっていた。

水野十郎左衛門をかもにして三十余日、彼をめぐって次々と事が起こった。第一に白柄組の糾問を受け、第二は大伯父に呼ばれて大喝《だいかつ》をくらい、そのあとすぐに奥平邸の石垣で右の足首を捻《ねん》挫《ざ》したかと思うと、養父の三郎太郎左衛門が妻帯すると云いだし、その意味をよく理解しないまま「結構でしょう」と答えたら、婚約者だという娘にひきあわされて息が止りそうになった。

第一と第二は「御意見番の墨付」の問題であった。十郎左衛門の話を聞いて、白柄組の青年たちが騒ぎだした。そんなことは信じられない、とかれらは云った。もしも家康公からそんな墨付が出ているなら、これまで世間に知れない道理はないし、当の彦左衛門が黙っている筈もない。

それはでたらめにきまっている、という説が多数を占め、それではあらためて真偽を慥かめようということになったのである。五橋数馬は水野家へでかけてゆき、十八人の白柄組をあっさり云いくるめた。どう云いくるめたかということはここでは語りたくない。数馬自身でさえ、その糾問が終って水野家を辞去したとき、道を歩きながら自分の口の端をつねりあげた。

――なんとまあ恥知らずな。

彼は自分の口をそう罵《ののし》った

――よくもしゃあしゃあとあんなことが云えたものだな、え、おれはきさまが恥ずかしいぞ。

大伯父に叱られたときも巧みにやった。彦左衛門も白柄組の者から聞いたらしい、というのは、数馬に煽動された水野十郎左衛門は、すっかり彦左衛門に惚れこんでしまい、なかまにも宣伝これ努めた結果、かれらもしきりに本所まいりを始めていたからである。数馬を呼びつけた大伯父は、このとんでもない甥《おい》――大伯父に対して数馬を甥と呼んでいいかどうか、親族間の呼称の煩《はん》瑣《さ》にはわれひとともにうんざりするので、これからは彦左衛門を単に「伯父」と呼ぶことにしたいと思う、されば数馬も「甥」で片づくわけであるが、読者諸氏には異存はないでしょうか――ない、では今後「伯父」と云ったら大伯父であると御記憶を願うことにして、その伯父である彦左衛門は、とんでもない甥の数馬を坐らせ、約四半刻《とき》ばかり黙って彼を睨《にら》んでいた。

だがそのこともここでは省くとしよう。大喝をくらったが、数馬は草紙本の頁をいっぺんに二枚めくって、章句と章句のつながりをなくすように、すばやく伯父の鋭鋒《えいほう》を脇へそらすことに成功し、帰るときには伯父から「またまいれ」と機嫌よく呼びかけられたくらいであった。奥平邸の石垣で足首を捻挫したときにも、ちづか姫との愛のかたらいのあとで、からだがなまになっていたためではない。実際のところ、姫との愛のかたらいはしだいに濃厚の度をたかめるばかりであったが、その夜は姫に逢わなかったばかりでなく、危うく屋敷の者に捉《つか》まりそうになり、狼狽《ろうばい》して逃げだしたため、そんな失敗をしたのであった。その数日後に、養父から再婚の話を聞かされたのだが、数馬は捻挫した足首のところに、膏薬《こうやく》を擦《す》りこんでいるときで、なにを云っているのかよくわからないまま、「いいでしょう、結構ですね」と答えたのであった。

そしてちょうど七日めに、養父の再婚するという相手の娘が、仲人と母親に伴《つ》れられて訪ねて来た。数馬はなにも知らず、自分の居間で「家康公墨付」の偽作に没頭していた。本所の伯父の家から持って来た古文書を参考にして家康の手癖を模写するのだが、そのころの武将としては家康は唯一人といってもいいくらい学問があり、その手蹟《しゅせき》も高い風格をそなえていたので、なかなかうまくまねることができず、晩秋というのに数馬は汗をかいていた。

「数馬さま」と襖《ふすま》の向うで大沼久内の声がした、「旦那さまがお呼びです」

数馬は筆の尖《さき》を噛みながら答えた、「ひる寝でいそがしいと云ってくれ」

「それはいけません、内藤さまが多賀井さま親子を同伴してみえられたのです」

「おれは呼んだ覚えはないぞ」

家扶《かふ》の大沼久内は襖をあけた。

「こら」数馬は机の上の物を両手で隠そうとした、「無断であけるな、書き物が散るじゃないか」

久内はすり寄って来、数馬の耳に口をよせて囁いた。数馬の眼が大きくなり、唇がだらんとなり、次に眼が細く、下顎《したあご》がさがった。

「というわけです」と久内が云った、「御存じではなかったんですか」

「知っていたようだな」と数馬が云った、「というのは、五六日まえにそんなようなことを聞いたようだが、――なんだって」

「なんでもありません」久内は両手を肩から下へすべらせた、「着替えをしてすぐ客間へいらっしゃるわけです」

「着替えをするのか」

むだな念を押すな、という顔つきで久内は去った。

内藤九郎右衛門は幾たびか会ったことがある。多賀井夫人はごく平凡な三十五六の、小ぢんまりした温和《おとな》しそうな人柄だったが、娘のほうを見て数馬は息が止りそうになった。

「あなたが数馬さんですか」とその娘は下から数馬を見上げて云った、「――わたしが千貝《ちがい》です、遠慮はいりませんからお楽に」

## 四の二

彼女は母に似て小柄だが、いまに肥えてみせるぞと宣告しているような躯《からだ》つきで、すでにその胸や腰には前触れの肉が付き始めているし、しもぶくれのたっぷりした頰や、厚いしっかりとした唇や、力のこもった眼光などには、人を圧伏する気構えが充分に備わっていた。そうして、彼女が十五歳であると聞いて、数馬はもういちど息が止りそうになった。

「二十四ですって」彼女はこれから買う魚の値ぶみをするような眼で、数馬をゆっくりと見あげ見おろしたのち、買うのは気が進まないというふうにそっと頭を振った、「——お年の割には軀ができていないようですね、ま、いいでしょう、わたしが来たら食事の按配《あんばい》をして、軀にしっかり精をつけてあげます」

数馬は口の中でなにかぶつぶつ云い、いそいでそこを逃げだすと居間へ戻って汗を拭いた。頸から胸、腋《わき》の下など、びっしょり冷汗をかいていた。

「あれで十五だって」彼は手を机に突っ張って身を支えた、「これはとんでもないことになった、あれはきっと継子《ままこ》いじめをするぞ」

五橋家で継子といえば、すなわち数馬自身であるが、二十四歳になる彼はまさか自分が継子いじめをされると思ったわけではない。ただ漠然とそう呟いたにすぎないので、まもなく現実に、それが自分の身にふりかかってきたときには胆をつぶしたものであった。

「多賀井《たがい》、千貝《ちがい》か」とまだそのときは彼はゆとりのある気分で云った、「人を嘲弄《ちょうろう》するような名前じゃないか、しかも十五やそこらで六十歳の老人の嫁になるなんて、まだわけもわからないおぼこなんだな」

そのとき数馬の頭は、もう奥平邸のほうへととんでいた。とすればその日は十五日だったのだ。まえの五日には危ないめにあって、姫とも逢うことができなかった。それは彼自身の不満よりも、姫にとって軽くない問題であり、どんなに軽くないかということは、定日に逢うごとに姫の口から諄々《じゅんじゅん》と訴えられていたのである。月に三度しか逢えないというのは非情すぎる、三日おきか少なくとも五日おきくらいにちぢめてもらいたい、とせがまれるのであった。

「今夜は強い態度に出ないといけないぞ」と彼は自分に云った、「今夜だけじゃあない、これからずっとだ、妻を悍馬《かんば》にするか羊にするかはおれの教育のしかたによるし、それもいまがもっとも大切な時期だからな、おい、しめてかかれよ」

そしてその夜十時、――五橋数馬は奥平邸の庭の燈籠《とうろう》のところで姫を待った。

まだ寒いというほどではない。現に植込のどこかでかねたたきが、哀れなかぼそい声で、とぎれとぎれに鳴いていた。だが季節には誤りがなく、堀から吹きあげて来る風はかなり冷たいし、気温もかなりひえていた。

「冬になったらどうする」と彼は衿《えり》をかき合せながら呟いた、「まさか雪の中で愛のかたらいもできないだろう」

「いや、できないことはない」と云う声が聞えた。

数馬はとびあがりそうになった。その声は燈籠のすぐ向うから聞えて来たもので、気がつくと一人ではなく、三人かそれ以上もいるようすであった。

――またみつかったか。

こう思って、堀のほうへ退却しようとすると、べつの声が聞えて来、数馬は退却するのをやめた。かれらがこの屋敷の家臣であることは間違いないらしいが、数馬を発見したのではなく、なにか相談があって集まった、ということがわかったからである。

――するとこのまえのときも、おれをみつけたわけではなかったんだな。

数馬はこう思いながら、いま姫が来たらどうしようかと、胸をおどらせていた。

燈籠の向うでは、熱心な話が続いていた。内容はよくわからないが、「鳥籠《とりかご》」という言葉が繰り返し聞えた。おむらさまだかおきのさまだかが、金の鳥籠を欲しがって、引っぱりっこをしたものかどうか、おむらさまだかおきのさまだかが穴ぼこへ落ちたとか、そのため鳥籠の金が剝《は》げて奥方さまが食傷を病んだ、などというようなことであった。

――わけの知れないことを云うやつらだ、頭がどうかしているんじゃないのか。

数馬はそっと首を振った。

「いや、必ずできる」と穴のあいた鉄瓶《てつびん》を叩くような声の男が云った、「大切なのは事をいそがないことだ、いいか、よく足場を踏み固めて、いかなる大雨におそわれても、崩れる隙のないように手順をつけるのだ、その間《かん》の指揮はおれがとるから」

「しっ」と制止の声がした、「人が来るようです」

「今夜はこれまで」と穴のあいた鉄瓶を叩くような声が云った、「次は例の場所だ」

かれらはすばやく、殆んど足音も聞えないほど静かにたち去った。——御殿のほうから、袖で掩《おお》った手燭《てしょく》の光が近づいて来、数馬はそっと立ちあがった。あらわれたのは侍女の早苗で、いつかのようにまた、啜《すす》り泣きをしながら鼻唄をうたっていた。

「ああびっくりした」数馬を認めると、早苗は手燭をとり落しそうになった、「ああおどろいた、川獺《かわうそ》が化けたかと思ったら、五橋さまでしたか」

「こんなところに川獺がいるのか」

「このあいだは独楽《こま》に化けてあたしを騙《だま》したわ、こんばんは」早苗は腰を跼《かが》め、それから皮肉な眼つきでにやっと笑った、「お姫さまが怒っていらっしゃいますよ」

「だろうな、しかしあれにはわけがあるんだ、逢って話せばわかるよ」

「そうかしら」早苗はいじ悪そうに横眼で彼を見た、「いまお姫さまを見れば、きっと煮立った茶釜《ちゃがま》かとお思いになるわ、あなたが云い訳をなさるまえに、舌を焦がさなければいいと思うんだけれど」

「おどかすな」と彼は云った、「姫はもうみえるのか」

「いいえ、もうここへはいらっしゃいません」

「もう来ないって、——どういうことだ」

「外はもう寒くなるじゃありませんか、姫さまがお風邪でも召したらどうするんですか」と早苗が云った、「男の方ってほんとに、なんにもおわかりにならないのね」

「すると、どういうことになるんだ」

「どういうことになるか、ですって」早苗は巧みに彼の口まねをした、「――子供みたようなことを仰しゃるのね、わたくしについていらっしゃい、姫さまは御殿で待っていらっしゃいますわ」

## 四の三

御殿のどの辺に当るのかわからない。もちろん奥殿の一部であろうが、四方に廂《ひさし》の間が付き、襖で囲まれた十帖《じょう》ほどの座敷で、重ね夜具の脇に絹張りのまる行燈《あんどん》があり、枕許《まくらもと》には金銀蒔絵《まきえ》の文台や水差や高坏《たかつき》などが備えてある。――数馬は袴《はかま》の紐《ひも》をしめながら、くるっと軀を廻したとき、袴の裾で高坏の一つを倒した。すると、甘いような濃厚な酒の匂いが、こぼれた液体からたちのぼった。彼はそんなことには気もつかず、まだ夜具の中に寝たままの、ちづか姫に向って囁きかけた。

「なんだかよく聞えないわ」姫は眼をつむったままで、舌のだるいような口のききかたをした、「――あなたもうお起きになったの」

「うっかりするともう夜が明けますよ」

「じゃあうっかりなさらないで」姫は喉《のど》で鳩の鳴くような笑い声をたて、二の腕まであらわになった手で、夜具を叩いた、「――もういちどおはいりになればいいわ」

そして唇をまるくすぼめて前へ出し、引込めたかと思うとまた突き出した。眼はつむったままであるが、そのしぐさがなにを求めるものであるか、数馬にはよくわかっていた。

「ちょっと眼をさまして考えて下さい」彼は姫の脇へ片膝《かたひざ》を突いた、「おむらさま、おきのさまとはどういう人ですか」

「父上の側女《そばめ》かもしれないわ、そんなような名を聞いたような気がするから」と云って姫は彼のほうへ手を伸ばした、「あなたいつのまにそんな女の人をみつけたの」

「私がみつけたんじゃない、私には関係がないんです、ただなんとなく気になるので聞いたんですが、金の鳥籠というのがありますか」

「鳥籠ぐらいはあるでしょ」

「いや、ただの鳥籠じゃない、金の鳥籠というんです」

姫はうっすらと眼をあいた、「あなたいったいなんの話をなすってるの」

「それがわからないからうかがってるんです」と数馬はゆっくりと云った、「いいですかよく聞いて下さいよ、つまりですね、そのおむらさまとおきのさまが、金の鳥籠をお互いに欲しがって引っ張りっこをしたところが、おきのさまが穴ぼこみたいなところへおっこちて、いや、それはおむらさまかもしれないのだが、そのために鳥籠の金が剝げて、奥方が食傷になられたというわけです、わかりますか」

姫はいちど眼をつむり、その眼をおそるおそるひらいて彼を眺めた。

「わたくしそんなにあなたをいじめたかしら」と姫は云った、「これからは少し慎むことにしましょう、帰っておやすみなさいな、あなた、眼をあいたまま夢をみていらっしゃるのよ」

「そうかもしれないが、どうも妙に気懸《きがか》りなんです」

襖の向うで低い咳《せき》の声がした。

「早苗のようね」

「時刻でしょう」と云って彼は刀を取った、「ではこれで失礼します」

姫はまた唇をすぼめながら鼻声をもらし、数馬はその上へ掩《おお》いかぶさってから、立ちあがった。襖を閉めながら振返って見ると、姫はもう眼をつむり、軽く愛らしい寝息をたてていた。

早苗のあとについて庭へ出る途中、廊下の暗がりでいつき姫に出会ったが、それについては語りたくない。ただ、姫が二布《ふたの》一枚巻いただけで、上半身がまったく裸だったこと、力士のような逞《たくま》しい肉付であり、胸の巨大な乳房が、歩くたびにぶるんぶるんと揺れ、その足の下で廊下の板が悲鳴をあげたこと、などを記しておこう。

実際には姫は「なに者であるか」と二人を咎《とが》めたのである。その声が廊下ぜんたいに反響し、裸の上半身がこちらへ捻《ね》じ向けられたとき、数馬はこの世の終りが来たと思った。

「はい、わたくしでございます」早苗は昔の二等兵が点呼を受けたときのように、数馬をうしろに隠しながらいさましく叫んだ、「おちいさまの侍女、早苗、今夜はお廊下番を勤めております」

「おませのちびか、うしろにいるのは誰だ」

数馬はできるなら亀のように首や手足を軀の中へしまいこみたいと思いながら、全身をちぢめて小さくなっていた。

「うしろにですか」と早苗は振向き、それからいつき姫を見て云った、「うしろにはなにもおりません、お姫さまにはなにかお見えになるのでございますか」

「なにかいるように思ったが」と云って姫はかぶりを振った、「いや思い違いだろう、――思い違いだ、わたしの眼は慥かだから、ない物が見える筈はない、番にぬかりがあってはならぬぞ」

そして姫は床板にきいきい悲鳴をあげさせながら、大手を振って去っていった。

早苗はくすくす笑って、数馬がふるえていたこと、いまにも気絶しそうにみえたこと、などを意地わるく指摘して、「いつき姫は夜盲症《とりめ》だから少しも心配はいらなかったのだ」と云い、またくすくす笑った。

「痩《や》せたい一心で御膳を減らしていらっしゃるんです」と早苗は説明した、「昔の巴御前《ともえごぜん》のような軀をしていらっしゃるし、お口ではそれを自慢にしているのに、やっぱり姫さまも女なんでしょう、二年まえくらいから小鳥の餌《えさ》くらいしか御膳を召上らないんですの、そのあげく、お軀はあのままで夜盲症になってしまったんです」

「なんでもいい、早くここから出してくれ」と数馬は汗を拭きながら云った、「正直に云うが、おれはまだふるえが止らないんだ」

屋敷へ帰ってからも、そのときの恐怖はなかなか消えなかった。めしを喰べていて、ふと「なに者であるか」という声を思いだすと、喉へなにかがこみあげて来て、めし粒を押し戻してしまうくらいであった。

「大名屋敷の奥御殿へ忍びこむことは」彼は墨付の偽作をしながら独り言を云った、「――それだけで非常な危険であり、みつかれば一命にもかかわる問題だが、いつき姫という存在はそれ以上の危険を伴う、たのみの綱は夜盲症だけだ、ということはなさけないじゃないか」

数馬の身辺がめまぐるしく多忙になった、ということはこの章の冒頭で記した。作者もここまで書いて来て、ひとおちつきしたいところなのだが、「多忙」のほうはそんなことに遠慮も会釈もない。九月十八日、――すなわち、数馬がいつき姫のために胆を潰《つぶ》しそこなった夜から三日めに、養父の三郎太郎左衛門と多賀井千貝との祝言がおこなわれた。ここでは祝言のことなどは省略する、古今東西のべつなく、結婚式をよろこばしく思うのは、当事者二人と嫁の親と、只で酒の飲める機会を覘《ねら》っている呑《の》ん平ぐらいなものだからである。だが、――そのあとがいけなかった。

五の一

千貝、いや新しい母は典型的な「母」であった。五尺七寸、躰重十五貫六百、二十四歳の数馬を、背丈四尺九寸あまり、躰重――はわからない、固太りだから十一二貫もあろうか、そして年は十五歳の母親が、殆んど絶えまなしに呼びつけ、用を命じたり小言を云ったり、訓戒を垂れたりするのである。たとえば、見合のときに宣言したとおり、彼女は数馬の躾格をしっかりさせるため、食餌《しょくじ》改良を実行し、みずから給仕をした。

「残してはいけません」と若き母は数馬に云うのであった、「その魚はよく焼いてあるのですから、頭から尻尾《しっぽ》まで、骨ごとぜんぶ喰べるのです、魚はそういうふうに喰べてこそはじめて、筋骨をやしなうことができるのです、お喰べなさい」

「残してはいけないと云ったでしょう」とべつのときに若い母は云った、「膳部にある物は一食分として按配してあるのです、その大根の煮たのをぜんぶ喰べてしまいなさい、お喰べなさい、好き嫌いはゆるしません、喰べないいんですか」

「もういっぱいです」と数馬は答えた、「勘弁して下さい、私は生れてこのかた、こんなに喰べる習慣はなかったのです」

「口答えはゆるしません」と若き母親はきめつけた、「はいと仰しゃい、はいと」

「はい」と数馬はうなだれた。

「よろしい、お喰べなさい」

この人は本当に継子《ままこ》いじめをするぞ、と数馬は心の中で呟き、自分が本当に継っ子であることを思い知った。若い母は継子いじめをするのではなかった。極めて純粋な気持で、母親としてのつとめを自覚し、母として彼を躾《しつ》け、教育してやろうと考えていたのだ。たとえば彼が風呂へはいるとき、彼女はかいがいしいみなりで彼の軀を洗ってくれるし、自分がはいるときには彼を呼んで背中をながすように命じた。

「本当の母ならこんなことはしないでしょう」と彼女は云うのであった、「乳を飲ませたり抱いて添寝をしたり、肌と肌を触れあって育てますからね、けれどもわたくしはそうしてあげられなかったし、いまお乳をあげたり抱いて添寝をするというわけにはいきません、それではいつまでも母子の情がうつりませんから、せめて風呂のときだけでもこうするのです、お互いの肌に触れあえば、それだけ早く母子らしい気持がわいてくるというわけです」

「そうかもしれませんが」と彼は云ってみた、「男の子はそう女親にあまえてはいけないと云われていますが」

「母の云うことにさからうのですか」と若い母は睨んだ、「はいと仰しゃい、はいと」

「はい」数馬はうなだれるのであった。

年こそ十五歳でも女は女であり、人の妻となるくらいだから肚構《はらがま》えが違う。三十日と経たないうちに、五橋家の実権をその小さな手にがっちりと握ってしまい、家扶の大沼夫妻などはすっかり影が薄くなった。家計は切り詰められ、食事は量ばかり多くて不味《まず》くなり、数馬の小遣なども従来の五分の一に引下げられた。

「たまには生魚とか鳥肉とか、卵などを喰べさせて下さい」

いちどそういう意味のことを仄《ほの》めかしてみた。すると若き母親は彼の無知を笑った。

「牛をごらんなさい」と若い母は云った、「草しか喰べないのに、牛はあのとおり立派な軀をしているでしょう、卵だの肉だの生魚などを喰べるのは短命のもとです」人間と牛とは違うでしょう、などとおろかな抗弁をしようと思ったが、また「口答え」を咎《とが》められ、「はい」と答えるのにきまっているから数馬はなにも云わずに退散した。

　十月になって墨付は完成した。薄めた渋や、煤《すす》などを使った時代色もうまくいったし、家康の筆癖や花押なども、専門の鑑定家がよほど疑念をいだいてしらべなければ、真偽の判別はつくまいという自信があった。

　季節は冬になったのに、いやに湿気が高く、むしむしする日の午後、――念のために断わっておくが、「むしむしする日」ということに他意はない。晴れていてもいいし、雨でも風の日でもいいのである。ただむしむしする日だからむしむしすると云うだけのことであるが、数馬は麻裃《あさがみしも》を着け、預かっていた古文書類の包みを持って、本所の伯父を訪ねた。――菊はもう終りであるが、白と黄の小さな花の種類が、茶色くなりかけた葉とともに、倒れたり凭《もた》れあったりして咲き残っており、いかにも冬にはいったという、ものがなしい情景をみせていた。

「私は大輪の花よりも、こういう残菊のつつましい咲きぶりが好ましいですね」縁側に立ってそう云った、「世捨て人の住居にはこれほど似つかわしいものはないでしょう、私もやがて老耄《ろうもう》し、足腰が立たなくなったら」

「それを云いに来たのか」と座敷で彦左衛門が遮《さえぎ》った、「そんないやみを云うために麻裃などを着けて来たのか、用はそれだけか」

数馬は黙って庭を眺めてい、それから座敷へはいって坐った。円座の蒲《がま》がすり切れているので、床板の上へじかに坐るようなものである。数馬は包みを解いて、古文書の束をそこへひろげた。

「拝借した記録類をお返し致します」と彼は謙遜《けんそん》に一礼した、「――それから、伯父上はお忘れのようですが、東照公から賜わったお墨付も、この中にはいっていますので、私が嘘を申したのでないという証拠に、お暇があったら一度ごらんになっておいて下さい」

「そんな必要はない」と彦左衛門は云った、「もしそういう物をいただいたとしたら覚えている筈だ、おれにはそんな記憶はまったくないぞ」

「そうでしょう、おそらくそうでしょう」と云って数馬は長い溜息《ためいき》をつき、伯父に聞える程度の声で独り言を呟いた、「――東照公は人を間違われたのだ、地下でさぞ嘆いておわすことだろう」

「きさま、なにを企んでいるのだ」

「私が、なんですって」

「ごまかすな」彦左衛門は冷笑した、「先日来から白柄組の悪童らもうるさくやって来る、みんなきさまがたきつけたからだ、きさまに煽動されたということは一目瞭然だ、さあ云え、きさまはなにを企んでいるんだ」

数馬は厳粛な姿勢で、つくづくと伯父の顔を見まもり、それから古文書の束をかきわけて、例の「御墨付」を取り出すと、いちど額まであげて拝礼したうえ、厳粛に伯父の前へ差出した。

「猿芝居みたようなまねをするな」と云って彦左衛門はそれを手に取った、「きさまなどのぺてんにかかる彦左衛門ではないぞ」

そして眼をすぼめて読みはじめた。

## 五の二

彦左衛門はながいこと墨付を見ていた。数馬は軀じゅうの毛穴が五たび、開いたり閉じたりするのを感じた。

「ふしぎだ」と彦左衛門が呟いた、「これは東照公のお筆に相違ない、しかしおれにまったく覚えがないというのはどういうわけだ」

数馬は咳をした。うれしさのあまり口笛でも吹きかねないので、自分に対する警告のため咳をしたのであるが、彦左衛門は勘ちがいをしたようすで、ぎろっと大きな眼を彼に向けた。

「どういう意味だ」

「なにがですか」

「いまのそら咳はどういう意味だと訊《き》いているんだ、なにが云いたいんだ」

「なんにも」と云って数馬はあいそよく笑ってみせた、「云いたいことなんか私にはなんにもありませんよ、それとも私がそんなような顔をしているとでも」

「おれはおまえより五十年以上も長く生きて来た」と彦左衛門は云った、「人間の面《つら》や眼つきや、話しぶり笑いよう、身振りや声の調子などで、そいつがどんな人間か、云うことがしんじつか嘘っぱちか、おべっかを使っているのか嘲弄しているかぐらいの判別はすぐにつく、いまのそら咳はおれを嘲弄している証拠だ」

「たとえば、どんなふうにですか」

「それは自分で思い当るだろう」

「しかしもし伯父上にそれほどの達眼があるなら、伯父上の口からうかがいたいですね、自分で覚えのない嘲弄をあなたが知っているというのは興味しんしんです、ぜひうかがわせてもらいましょう」

「うるさい」と彦左衛門はどなった、「男のくせによく饒舌《しゃべ》るやつだ、口の紐をしめろ」

数馬は口の隅を摘《つま》み「きゅう」と云いながら横へ引っ張った。まるでそこに紐があって引き緊めたように、口をきゅうと一文字にむすんでから、「しめました」と云った。

「おまえはおれが老齢で、忘れっぽくなった、ぼけて来た、と思ったんだろう」と彦左衛門は云った、「おれはそれを嘘だとは云わない、このとおり眼や耳や歯は丈夫だが、記憶力の衰えたことは自分でも承知している、足腰も太兵衛のようには動かなくなった、それは認めるが、もしも家康公からこのようなお墨付をいただいたとすれば、それだけはどんなことがあっても忘れる筈はない」

「わかりました」と数馬が云った、「そういうことならそれは焼いてしまうがいいでしょう、なにしろあなたの鑑定でも御直筆《おじきひつ》に相違ないと仰しゃるんですからね、そのままとって置いてはおそれ多いし、なにか間違いのもとになるかもしれませんよ」

彦左衛門は墨付を甥に渡した、「――それがいいだろう、おまえの手で焼いてしまえ」

数馬は火桶《ひおけ》の側へすり寄った。

――止めてくれ、じじい。

待てと云ってくれ、このくそじじい、そう祈りながら、彼は火桶の中の炭火をあらけた。しかし彦左衛門はなにも云わず、（横眼で見ると）知らぬ顔で庭を眺めていた。

「これを焼くまえに、一と言だけ云わせてもらっていいですか」

彦左衛門は答えなかった。

そのとき数馬の血が活き活きと動きだした。それまでの彼は死んでいたか、または生きていたにしても生きていたとは思えないほど愚鈍な棒杭《ぼうくい》のような存在であって、いま初めて人間らしく眼ざめ、ものごとをはっきり感じたり考えたりすることのできるものに変った。というような充実感に満たされた。人間はときどき、――自分が万象と一体となった、という霊気のようなものを感じることがあるものだ。五橋数馬もそんなふうな精神活動におそわれたのだろう、自分の血が活き活きと動きだしたばかりではない、座敷の中のあらゆる物、柱も壁も明り障子も火桶も、天床《てんじょう》も、いや庭の枯れかかった菊も垣根も、眼にあたるすべての物が生命を得て、むくむくと活き活きとおどりだすように思えた。

「あなたはね、伯父上」と数馬は審判官のように云った、「七十二歳になったとか、記憶力が衰えたとかいろいろ仰しゃってるが、じつは、あなたの言葉を借りて云えば、てっぺん大嘘つきか、さもなければ存在してはいないんですよ」

彦左衛門はゆるゆると振向いた。五十貫もある石を動かすかのように、極めてゆっくりとした、おごそかでさえある振向きようであった。

「そこにいるのはもう大久保彦左衛門じゃあない」数馬はまっすぐに伯父の胸を指さして続けた、「あなたはここへ隠棲《いんせい》したときすでに死んじまってるんです、もしそうではなく、そこに小意地の悪い顔つきで眼を剝《む》いて坐っているあなたが本当に大久保彦左衛門としたら、あなたはこの世にまたとない、てっぺんの上のてっぺん大嘘つきです」

「なんでそんなてまをかける」と伯父は云った、「おれを怒らせてなにか取るつもりなら、そんなてまをかけずになにが欲しいか云うほうがいい、おれを怒らせようとしても汗をかくだけだぞ」

「私はなにも欲しくはない、私の欲しいのはあなたがあなた自身になってくれることです、そのあなたを包んでいる嘘の皮衣を剝ぎ取って本来の大久保彦左衛門、――かしこくも東照公より、天下の意見番になれという墨付を賜わった、大久保彦左衛門忠教その人にたち返ってもらいたいことです」

「きさまそんなことを本気で云うのか」

「騙《だま》しそこねたんですよ、あなたは」

「おれがなにを騙した」

「なにもかもです」彼は古文書の束へ手を振った、「ここに書いてある戦記も九割までは嘘、あなたの口から聞いた戦場談も殆んど嘘、あなたは自分の生涯を嘘で塗り固めようとしていたんです」

「この」と彦左衛門は吃《ども》った、「このしれ者、きさまなにを証拠にそんな」

「酒井、本多、榊原、井伊、水野、土井、藤堂ら諸侯に当って、各家に伝わるしんじつの記録をしらべたんです」数馬は自分のふところを叩いた、「これら諸侯の記録は、単独では信じられないかもしれない、だが相互につき合せて異同を検討すれば、動かすことのできない真実があらわれるものです、私はいまこそ、あなたの化けの皮をはいでやる、あなたにもし些少《さしょう》なりとも勇気があるならお聞きなさい」

「まず初陣《ういじん》です」と数馬はふところから一級の書き物（例の彼自身が作りあげた記録）を取出し、それをめくりながら続けた、「あなたは十六歳のとき、兄の忠世どのに従って遠州乾 城《いぬいじょう》の合戦に出られ、兵二十余人と名ある首級を三つもあげられた」

## 五の三

「ところが」と数馬は云う、「私があなたから聞いた話は違う、あなたは初めての戦場でちぢみあがり、敵の雑兵と槍を合わせたとたん、腰が抜けて尻もちをついた、そこへ雑兵が踏みこんで来て、あなたの槍へ自分から突き刺さった、そのとき敵の雑兵はさも無念そうに、——こんなことは初めてだ、しくじった、と云って絶息したという、そうでしょう、あなたはそう云われたでしょう、それからもっと恐ろしくなって、合戦の終るまで藪《やぶ》の中にもぐりこんでいたと仰《おっ》しゃった、が、事実は名ある首級を三つあげ、兵を二十余人も討取っている、これが乾城初陣における真相です」

「あなたは忘れているか嘘をついているかしりませんが、このとき、——鵜殿の逃げほおずき、という奇談があったのです、先手の鵜殿善六という人が敵の反撃を受け、陣を引くことができないのを見て、あなたは兄の忠世どのや水野惣兵衛、渡辺半蔵らの諸士と救援に駆けつけた、鵜殿の指物はほおずきなので、逃げほおずきという仇名《あだな》が付いた、そうでしょう、違いますか伯父上」

彦左衛門はくすっと笑った。無意識に可笑《おか》しくなったのだろう、くすっと笑ったことに自分でびっくりし、慌てて肩を張り眼をいからせた。

「田口攻め、小山攻めは省きましょう、いや、田中城を攻めて失敗し、東照公から退却せよという命令が出たとき、あなたはしっぱらいを勤めてみごとな手柄を立てた」

「おれは泥田へ落ちただけだ」

「あなたはそう話された」数馬は伯父の口を指さし、その指を左右に振った、「ところがそうではない、あなたは戸田家の黒田次郎右衛門と謀って、そこは田圃《たんぼ》にはさまれた細い道だったでしょう、おのおの十人ずつの兵とともに、道の左右の泥田の中へとびこみ、追って来た敵兵に向って手を振りながら、——徳川軍のえらそうな大将を追い詰めた、こっちだ、こっちだとおびき寄せた、へ、えらそうな大将とね、そんな乱戦の中でなければ笑いとばされるのがおちですよ」

「おれはただ泥田へ落ちただけだ」

「真相はこうなんです、敵兵はあなたの叫び声にうまうまとはまり、片方は黒田どののほうへ、片方はあなたのほうへと、二た手に分れて踏み込んで来た、ところが腰っきりある深い泥田で、物具を着けているからたちまちずぶずぶと足を取られる、片足を抜くと片足を取られ、のめれば両手が泥にはまる、互いに絡み合ったり突きとばしたり、みんな頭から泥まみれという騒ぎ、そこへまた追いついて来た敵兵があって、なにをしているんだと訊く、すると泥まみれになったやつらが、——徳川の御大将だと答えた。

——御大将とは家康か。

——そう聞いたんだ、あっちにいる一隊が追い詰めているらしい。

——しめたぞ者共、おくれをとるな。

これらもまた泥田へ踏み込んだ、こうしてかれらが互いにおくれをとらず、泥だらけになって騒いでいるうちに、わが軍は事なく退却したというわけです」

「沼津で武田勝頼の軍とたたかったとき」と数馬はすぐに続けた、「坂部三十郎、……いまの三十郎の祖父でしょうかね、その三十郎広勝が敵の侍大将中野郷左衛門を討取りました、あなたの記録によると、初めに中野と槍を合わせたのはあなただった、そうして中野に突きたてられ、いまや危うくみえた瞬間、――あなたの眼にごみがはいった、そこであなたは片手をあげ眼にごみがはいったゆえ暫《しばら》く、と呼びかけた、中野郷左衛門の立場とすればめんくらったでしょう、合戦のまっさいちゅうですからね、しかもまさに突き伏せようとする刹那《せつな》のことなんだから、といって現に眼をこすっているあなたをそのまま突き殺すわけにもいかないでしょう、面倒なりと云って去ろうとすると敵にうしろを見せるとは卑怯《ひきよう》なり、とあなたは呼びかけた、中野氏はおどろいたことでしょう。

――卑怯とはなんだ、この激戦の中で眼のごみを取っているような人間とつきあっていられるか。

――古今東西、眼にはいったごみの取れなかったためしはない、そのくらいの忍耐ができなくて侍と云えるか。

――眼のごみと侍となんの関係がある。

――関係とはむずかしいことを持ち出したな、こうなったら一と論判やらずばなるまい、まあそこの石にでも腰を掛けろ。

それから半刻《とき》、矢だま飛び交い追いつ追われつ、敵味方いり乱れての激闘のまん中で、あなたは中野郷左衛門と論判をし、得意の舌で相手をぐたぐたになるまで云いくるめてしまった、論判が終ったとき中野氏は無念の涙をこぼし、持っていた槍を地面に叩きつけて叫んだそうです。

——菩提寺《ぼだいじ》へかよって和尚《おしょう》の説教を聞けと、父に云われたことを守っていたら、いまここでこんな恥をかかずとも済んだであろうのに、思えばそれが返す返すも、く、ち、お、し、い。

そこで伯父上は立ちあがり、うしろにいた坂部三十郎に一揖《いちゆう》された、どうぞ、というわけです、これを要するに、三十郎広勝が勝負を挑んだときには、郷左衛門はあなたの舌でぐたぐたの骨抜きにされていたというのが沼津の役の真実のすがたなんです」

彦左衛門の顔から威厳が消え、代って曽呂利《そろり》新左衛門の軽口を聞く秀吉のような表情があらわれていた、もちろん、彦左衛門は美男とはいえないが、猿面冠者よりははるかに人間らしく戦塵《せんじん》を凌《しの》いで来て燻《いぶ》しのかかった古武士の風格がある。その風格がいまはやわらぎ、次になにが語られるかという単純な興味のために、その表情はすっかり明るくなっていた。

「用宗《もちむね》の城を攻めたとき」と数馬はいよいよ勢いづいて云った、「あなたは例のとおり合戦が恐ろしくて、どこか隠れる場所はないかと捜しておられた、そのうちに足を踏み滑らせて崖《がけ》から落ちたところ、崖の下のほうがもっとすさまじい戦場だった、そこで慌てて崖を元のほうへ這《は》い登ってゆくと、うしろから、手を貸してくれ、と云う声がする、あなたは槍の柄を伸ばしてやられた、こいつもいくさがこわいんだろうと思われたから。

——槍をしっかり摑《つか》め、手を放すな。

——大丈夫だ、引っ張ってくれ。

——下の騒ぎはひどいな、おれは下のほうが安全だと思ったんだが、とんでもない、おりてみて肝を潰《つぶ》しちまった、あんなにけんのんだとは夢にも知らなかった。

そんな問答をしながら二人は崖の上へ這いあがった、ほっとして顔を見合せると、相手は敵の旗がしら、三浦兵部助義鏡だったんでしょう、あなたがあっと口をあき、三浦氏もあっと口をあかれた、そうでしょう、そして二人は同時にふえっと叫んで、三浦はあちら、あなたはこちらへ逃げだし、けれどもすぐに立停って振返ると、向うも立停ってこちらを見ている、そこであなたが戻ってゆくと、三浦兵部助はどっかと地面へ坐った。

――三浦義鏡ともある者が、敵に助けられて崖をよじ登ったとはなさけない、わが武運もこれまでなり。

そう云って自分で自分の首を斬り落してしまった、そこへ岡田元右衛門が通りかかり、これはたいへんな手柄ではないかと云い、あなたは自分が討取ったのではない、と仔細《しさい》を語った、あなたはそう話されましたね」

五の四

――だがこれは敵軍の旗がしら、三浦兵部助ではないか。

――そのとおりだが、いまも云うとおりおれが討ったのではない、よかったらおまえのものにしろ。

――おかしな男だな。

「岡田氏としてもそれなら貰おうとは云えない、そこで一色左京がまだなにも手柄をたてていないから、彼に譲ろうということにきまった、ばかばかしい」と数馬は首を振った、「三浦を討取ったのは本当はあなた自身なんです、それは松平家忠さまの家臣で尾崎半平という人がちゃんと見届けていたんですよ」

「そうだ、首を譲ると云えばまだある」数馬は書き物をめくり返した、「——さよう、高天神を攻めたときのことですよ、あなたは敵の岡部丹波守正信に槍をつけ、みごとにこれを討取りながら、その首を御従兄《いとこ》の大久保忠隣《ただちか》どのに譲られた、これは太兵衛も知っている筈です、そうでしょう」

「譲りはしない、それは違う」と彦左衛門が強い調子で遮《さえぎ》った、「岡部丹波のことはおまえのしらべ違いだ、そんなことはどっちでもいいが、小田原（忠隣）の話は決してするなと、厳重に云ってある筈だぞ」

「しかしいまはあなたの戦歴について」

「小田原の名を出すな」彦左衛門はまっ赤になってどなった、「こんど申すと捨ておかぬぞ」

数馬はおじぎをした。眼をみはっておじぎをし、なにか云おうとしたが、とたんにもっと大きく眼をみはり、もっと大きくおじぎをした。

——そうか、そうだったのか。

彼は空想の中で膝《ひざ》を打った。非常におどろいたが、それは彦左衛門が本気で怒ったのを初めて見たからではなく、小田原の忠隣という存在、――否、存在しないその人のことに思い当ったからである。いま伯父が云ったとおり、ずっと以前から伯父は「おれの前で小田原のことを云うな」と禁止していた。むろん数馬も知っていたことだが、そのようにまっ赤になって怒るほどの理由があろうとは考えたこともなかった。

――そうだったのか。

伯父が現在のように、世を捨て、隠棲《いんせい》してしまった原因はそこにあったのか、と数馬は思った。

「今日はこのくらいにしておきましょう」彼は書き物を閉じてふところへ入れた、「あとはまた次の機会に読みます」

「よすほうがいい、むだなことだ」

「そうかもしれません、しかし私はあなたが本心をあらわすまでは諦《あきら》めませんよ」

「まだ云うのか」と伯父は云った、「繰り返して聞かせるが、ここにいる彦左衛門のほかに本心を持った彦左衛門などは決していない、これが正真正銘の」

数馬は手をあげて制止した、「ちょっと」と彼は云った、「そこでやめて下さい、そんなことを誓ってはいけません、侍は偽りの証言はしないものです」

「偽りの証言だと」

「あなたを怒らせることができればと、私は長いあいだ待っていた、あなたは今日はじめて本心から怒った」さあ、うまくやれよ、と自分をけしかけながら数馬は云った、「――なぜ怒ったか、あなたがまっ赤になって怒るのを見て、私はあなたの心底がわかった、ええ、もう私をごまかすことはできません、あなたは嘘つきなばかりでなく、泣き虫で小心で、女のようにめめしい人です」

「こいつ、この」

「お怒りなさい、殴って下さい」数馬は胸を反らした、「あなたがどんなに怖《こわ》い顔をし、どんなにどなりたて、たとえ殴りつけようとも構わない、私は幾たびでもあなたを嘘つきで小心でめめしい人だと断言します」

「云え」彦左衛門はふるえながら云った、「その理由を云ってみろ」

「簡単なことです、いまあなたが触れてはならぬと云われた、相模守《さがみのかみ》忠隣どののことが原因で、こんなふうにあなたは韜晦《とうかい》されているんです」

大久保忠隣は小田原の城主だったが、慶長十九年に罪あって改易され、その身は近江《おうみ》の井伊家へ預けられたまま、寛永五年に死んでしまった。なんの罪によるかまったくわからない、世評では本多正信と仲が悪かったためだという。佐渡守正信は家康から友のように信頼されていた一人で、つねづね不仲だった忠隣を除くため、家康に無実の罪を訴えたのだ、というふうに云われていた。

彦左衛門もそのときは沼津の城主で二万三千石を領していたが、小田原改易に当り、一族の累を蒙《こうむ》って沼津は召上げ、二万石を削られて三千石の旗本におとされた。その後、家康、秀忠ともに領地を与えようとしたが、彦左衛門は頑強に固辞して今日に至ったものであった。

「あなたは拗《す》ねているんです」と数馬は続けていた、「佐渡守のざんげんによって、忠隣どのが無実の罪を衣《き》せられたこと、自分まで巻き添えになったことを、——しかしですね、仮に佐渡守がざんげんを弄《ろう》したとしても、ごらんなさい、佐渡守の子の忠純は、やはり罰せられて流罪になったじゃありませんか、いまでも流罪のまま出羽にいるし、その子の正勝は死んでしまいました、小田原改易のことは帳消しになっているんですよ」

「この世におこなわれた事で、帳消しになるようなものは絶対にない」と彦左衛門は低い声で云い返した、「吐いた息さえも決して元へ戻りはしないのだ」

「うかがっておきましょう、いまはそのとおりうけたまわっておきますが、伯父上もいちどよく思案してみて下さい」と数馬は云った、「天下は泰平ときまって、徳川家のためには万歳かもしれないが、われわれ若い者にはあじけない世の中です、侍は戦場へ出て功名手柄をたてるのが本分でしょう、現在でも『いざ鎌倉』というときに備えて心身の鍛錬をせよといわれるし、また、事実そういう覚悟で生きるよりほかにみちはない、だがもはや天下泰平、再び合戦の起こるような望みはありません、父祖の賜わった家禄《かろく》を大切に、一生飼い殺しのくらしをしなければならないのです」

彦左衛門は静かに眼をそむけた。

「侍《さむらい》侠客《きょうかく》などといわれて白柄組《しらつかぐみ》の連中が暴れるのも、かれらが不良少年だからではなく将来に望みのないこと、家禄の檻《おり》の中で生涯飼い殺しになるという現実に絶望しているからです」数馬は感傷的な太息《といき》をついて云った、「——かれらがここへ来るのは、あなたの世を拗ねた気持に同感するからでしょう、白柄組には限りません、当代の若侍たち大部分が同じような煩悶《はんもん》にぶっつかっているでしょう、しかも幕府はなにもしない、閣老はかれらを叱ったり罰したりするだけです、これをこのままにしておいていいかどうか、伯父上、——若い連中はあなたを慕っている、あなたは御意見番の御墨付を賜わった、東照公の御直筆でいつでも登城し、御墨付を示して将軍家にさえ直諫《ちょっかん》することができる、しかもなお、あなたはめめしく世を拗ね、朝顔や菊などを作っていていいのですか」

数馬はそこで言葉を切った。そっぽを向いたままの彦左衛門はなにも云わないが、その軀《からだ》が固く緊張し、呼吸が深くなったために、胸のあたりのふくれたりちぢんだりするのが認められた。

——どうだ、因業《いんごう》じじい、少しは薬がきいたか。

数馬は心の中でそう思い、立ちあがって袴《はかま》の膝を払った。

「墨付はここへ置いてゆきます」と彼は云った、「もしお焼きになるのなら御自分で焼いて下さい、私はごめんですよ」

## 五の五

「わたくし初めて知りましたわ」とちづか姫が囁《ささや》いた、「あなたのお家と奥平とは、遠いけれど縁が続いていますのね」

「そうですか」

「わたくしの祖父の妹が、大久保家の新十郎という方に輿入《こしい》れをしたんですって」

「そうですか」

「あなたも大久保家の御一族でしょう」

「私がですか」数馬は欠伸《あくび》を嚙《か》みころした、「そうですね、実家の内藤が大久保と縁続きで、現に彦左衛門という因業じ……大伯父がいますから、まあ一族といっていえないこともないでしょうな」

「新十郎という方をご存じですか」

「そんなやつ、……いや知りませんね、聞いたこともありませんよ」

「たいそう利発的な方で、当代賢人の一人といわれたそうですけれど、お可哀そうに三十そここで亡くなられたのですって」と姫は囁いた、「そうそう、それで思いだしたんですけれど、お父さまは相模守忠隣という方で、その方も……どうなさいましたの」

「相模守忠隣の子ですって」

「ええ、御長男だったとうかがいましたわ」

「へええ——今日はふしぎな日だな」

「なにがふしぎですの」と姫が囁いた、「もっとこちらへお寄りあそばせ」

「うっ」と数馬が云った、「ちょっとこれを、あつくってこんな汗ですよ」

「いいことよ、汗ぐらいなんですか」

「うっ」と彼はまた云った、「待って下さい、いちどこれをこうして、うっ、あつい」

「それで」とちづか姫が囁いた、「いったいなにがふしぎですの」

「今日は大伯父のところでも相模守の話が出たんです、——しかしむろんこっちの話とは関係のないことですが、——もう何刻《とき》ごろですかね」

「またそれを仰しゃる」と姫が云った、「こうしているあいだは刻のことは云わないって、ちゃんとお約束がしてあるでしょ、いいわ、お口を塞《ふさ》いであげるから」

　数馬の口の中で「う」という声がし、そのまま話し声が絶えてしまった。

「ああ」とかなり経ってから姫が云った、「天床《てんじょう》の板が裂けるような声で叫んでみたいわ、頭から足の先まで、さっぱりと洗ったようないい気持よ」

「声が高すぎますよ冗談じゃない」と数馬が云った、「それでなくてもいつかなんか廊下でいつき姫に出会って、もう少しでつかみ殺されそうになったんですから」

「あら、どうなさるの」

「いつき姫のことを思いだしたら急に総毛立ってきました」と数馬が囁いた、「そろそろおいとまということにします」

「そんな心配はもう御無用よ」と姫は囁いた、「――あの方、――お姉さまは三日まえに家出をなすって、もう、この屋敷にはいないんですから」

「家出をなすった、どうしてです」

「なんとかいう家来といっしょですって、外聞を憚《はばか》ってきびしく口止めされたのでしょう、詳しいことはわかりませんけれど、その家来をあの方のほうで唆《そそのか》したんだと思うの、なにしろあの方を産んだのは、かごという名で、ごく卑しい生れの婦人でしたし、父の側室の中では誰よりも嫌われ者なんですから」

「あなたの口からそう云うことは聞きたくないですね」と云って数馬は急に調子を変えた、「――待って下さい、いまかごという名を仰しゃいましたね」

「あの方を産んだ人の名よ」

「かご、かご、鳥籠……」

「なんのことですの、それ」

「わかりません、まだ自分でもわからないが」数馬は着替えをしながら呟《つぶや》いた、「――誰かと誰かがどうとかして、鳥籠の金が剝《は》げて、そのために奥方が食傷をおこした……とりかごの金が剝げて、――いつき姫はおかごさまのおはら、その姫が家臣と出奔」

「なにを仰しゃってるの、あなたねぼけていらっしゃるんじゃありませんか」

「もしかして」と数馬は袴の紐《ひも》をむすびながら訊《き》いた、「あなたの母上になにか変ったことでもありはしませんか」

「さあどうでしょう」姫も起き直って、嬌《なま》めかしく寝衣《ねまき》の前をかいつくろった、「御殿が違うからめったにお会いすることもないけれど、母になにかあると仰しゃいますの」

「知りません、いや、なにもなければいいんですが、どうもへんに気懸りなことがあるものですから」

「このまえもそんなことを云ってらっしったわ、いったいなにがどうしたというんですか」

襖《ふすま》の向うで「えへん」と、早苗の低く咳《せき》をするのが聞えた。

「それについては」と彼が云いかけた。

「いや」姫はかぶりを振って、両手を重たげに彼のほうへさし伸ばした、「――いらしって」

数馬はそちらへゆき、姫は彼をやわらかく抱き緊めた。

「この次の日をお忘れにならないで」と姫は彼の耳に囁いた、「――うれしかったわ」

## 挿《そう》　話《わ》

この物語の作者である私は、いまたいそう苦しい立場に置かれているのである。半年ほど歯齦《しぎん》神経に悩まされたうえ、人事の出入り葛藤《かっとう》が多く、仕事に没頭する時間を取られたうえ、気がついてみると物語の中に登場する人たちにもそっぽを向かれてしまった。

まず五橋数馬であるが、いくら訪ねていっても面会ができない。彼の若い義母である千貝女史は——おどろいたことにもう妊娠して五カ月くらいのみごとに張り出た腹部を揺りながら出て来て、作者の顔をじろじろ見まわし、ひどくぶあいそに頭を振るのである。

「あなたはたびたびおみえになるが、どなたですか」とその若い義母は訊き返す、「数馬とどういう関係があるのです、用事はなんですか、御姓名や御身分をうかがいましょう」

作者として私は当惑してしまう。

「それはちょっと申上げかねるのです」と私はあいそ笑いをしながら答える、「というのはですね、あなたは寛永年代のお方であり」

「八年です」と千貝女史は遮る、「とぼけてはいけません、いまは寛永八年十二月十日です」

「どうも失礼いたしました」私は額の汗を拭き、もういちどあいそ笑いをする、「で、ところで私ですが、私はいまずっと後世、と申すのはあなたの御年代に対してのはなしですが、じつは私は昭和三十四年という」

「なんですかそれは」千貝女史はすぐに聞き咎《とが》める、「そんな年号は聞いたこともありませんね、あなたはわたくしを嘲弄《ちょうろう》するつもりですか」

「とんでもない」私はいそいで手を振る、「私にとってあなたは大事な登場人物の一人ですから、仮にも嘲弄するなどということがある道理はありません」

「ではごまかしですね」

「ごまかしですって」

「あなたはなに一つはっきりしたことが答えられない、身分も姓名もなのれず用向きも云わない」とその若い義母はさらに深めた疑惑の眼でにらむ、「頭は老いぼれたがんにん坊主のようであるし、風態も侍やら町人やら判然としない、察するところ牢舎《ろうや》から出て来た人間かなにかじゃあないのですか」

「私は五橋数馬どのに会いに来たので、あなたからそんな詮索《せんさく》をされる弱みはありません」と私は云い返した、「それに第一、私がそのつもりになれば、あなたなんぞすぐに消してしまうことができるんですよ」

「まあ失礼な、このわたくしを消すことができるんですって」

「簡単しごくです、産褥熱《さんじょくねつ》で死ぬとか、歩いていて堀へ落ちて死ぬとか、ふだんの吝嗇《りんしょく》の祟《たた》りで栄養失調のため死ぬとか、意地悪をすれば原因不明の病気で頓死《とんし》するとかね、ええ、私の筆の持ってゆきようでいつだって消してごらんにいれますよ」

「無礼者、そこを動くな」と千貝女史は眼を吊《つ》りあげて喚く、「いま主人を呼んで来るからそこを動くな、ええくちおしい、五橋三郎太郎左衛門の妻ともある者が、おまえのような下賤《げせん》で卑しいならず者に辱《はずか》しめを受けて、このまま手を束《つか》ねていると思うか、いま主人を呼んで手打ちに致すから覚悟をするがよい、――あなたお出合い下さい、あなたすぐにここへ来てこのならず者を

――」

私は面倒なことは嫌いなので踵《きびす》を返す。と千貝女史はうしろから、「待て」と叫び、想像を絶するような悪罵《あくば》を投げかける。作者として私は悲憤やるかたなく、どうしてこんな女を、この物語の中へ登場させたのかと、自分の愚かさに肚《はら》を立てながら帰るのであった。

本所の大久保家を訪ねても同様、彦左衛門老は絶対に会ってくれない。

「幾たび来てもだめだ」と下僕の太兵衛は云う、「御前はそこもとのような人間は知らぬと仰しゃる、お帰んなさい」

「しかしおめにかかればわかる筈ですし、私としては数馬どのが渡された家康公の、いや失礼――東照公の御墨付がどうなったか、御老躰《ろうたい》があれをどうなさるおつもりか、ぜひうかがっておきたいのですが」

「だめだと云ったらだめだ、おとなしく帰らぬと、おのれ」と太兵衛は眼を剝《む》いて云う、「その足腰を叩き挫《くじ》いてくれるぞ」

私はすなわち退散したわけである。

奥平家のちづか姫はどうかと思ったが、大名の奥庭へ忍びこむほどの勇気も知恵もないので、水野十郎左衛門に当ってみた。――彼にはすぐ面会することができたが、めっぽういそがしい男で、一分間もじっとしていない。いま坐ったかと思うと客が来る。

「加賀爪さまです」

「よし、通せ」と十郎左は云う、「酒の支度をしろ、いや待て、いっそでかけるとしよう」

そして加賀爪大作（のちの甲斐《かい》か？）なる不良少年と出ていってしまい、そのままどこかで沈没してしまうらしい。あとを跟《つ》けるにもたいてい騎乗であるし、徒歩でもすぐにはぐれてしまう。なにしろ先方は寛永時代の足であり、こちらは文明のおかげで足が弱い。あの辻《つじ》を曲ったなと思って駆けていっても、そこにはもう姿も見えないという始末であった。

雑誌の締切は過ぎ、作者である私の良心はずきずきと痛み、頭を抱えて呻吟《しんぎん》しているのだが、肝心の登場人物がみんな私にそっぽを向き、机の上へ帰って来ないのでどうにもならない。どちらかというと私は忍耐づよい性分で、たいていのことには怒らないのであるが、編集部の立場を考えるとなんともいたたまれない。

「こんな連中とつきあいを始めたとは、なんという向うみずなおれだったろう」と私は自分に云った、「いっそ絶交して、あいつら全部と縁を切ってしまうか」

そして私は待った。

かれらだって私がそこまで云えば帰って来るだろう。ここで私に絶交されれば、そのままこの世から消えてしまう者もあるわけで、なんとか思案をするに相違ないと思ったが、どいつもこいつも一向に顔をみせない。――こんなときの物語作者ほど、なさけない、みじめなものはないのである。しようがない、私はまた仕事場を出て、数馬を捉《つか》まえるためにでかけていった。

千貝女史にみつかると「手打ち」にされるから、途上で捉まえるよりしかたがない、私はここが辛抱のしどころだと思って、彼の来るのを注意ぶかく看視していた。だが、彼はあらわれない、五橋数馬はどこへしけこんだか、どうしても姿をみせないのである。

「あんなにひいきにしてやったのに、あのくわせ者め」と私は呟く、「もうがまんが切れた、いよいよ絶交だ」

そのときようやく数馬があらわれた。

「やあ、どうも済みません」彼は例の愛嬌《あいきょう》のいい笑い顔でおじぎをし、頭を掻《か》きながら云った、「これから奥平へゆこうと思うんですが、あなたの筆の調子はいかがですか」

「おれのことは心配するな」と私は云ってやった、「おまえが動きだしてさえくれればおれはいつだって書けるんだ」

「ほんとですか」彼は疑わしそうに、にやにやした、「それにしては浮かない顔をしていらっしゃるが、宿酔《ふつかよい》ですか」

「えへん」と私は咳をした、「奥平へゆくなら早くいったらいいだろう、おれのことは放っといてくれ」

数馬は皮肉な一揖をして云った、「ではどうぞしっかりやって下さい」

## 六の一

師走二十五日の夜、——五橋数馬は奥平邸の庭で、いつもの場所に身をひそめていた。

「おれはあれはお土産だと思った」と彼は呟いた、「僅か十五歳の小娘が、お土産付きで嫁に来るとはたいした度胸だと思った、だってあの腹はどう見たって、五つ月より下とは思えない大きさだからな」

「おやじはちっとも疑っていなかった」とまた数馬は続けた、「嬉しさのあまりのぼせあがっていたが、肉のつながりというやつは本能的にわかるんだな、——今日医者が来てまる三カ月だと診断したときには、おれは自分の聞き違いかと思った、母躰が小さいので大きく見えるんだそうだ」

「今夜はばかにおそいな、早苗はどうしてるんだ」と暫くして彼は呟いた、「——しかしですね、あの若い継母《ままはは》がこんなに早く子を産むとすると、この私も身のふりかたを早く考えないといけませんね、生れて来るのが男の子だったりすれば、あの母親の継子いじめはもっとひどくなるに相違ありません、この私を叩き出して、自分の子に家督相続をさせるだろうことは疑う余地はありませんからね、ええ、——おれとしては足もとに火がついたようなもんだぞ」

数馬は口をつぐんで向うを見た。

常夜燈のかなた、植込の黒い茂みの中で、なにやらがさがさ物音がし、忍び足でこっちへ近よって来る者があった。

——早苗ではない。

侍女の来る方角とは違うし、人数も多いようである。

――いつかの侍たちだな。

数馬は脇のほうへ身をひそめた。「おむらさま」「おきのさま」「金の鳥籠」「奥方さま」などという、不明確であるがいかがわしい密談をしていた侍たち。ちづか姫にもなんのことかわからなかったし、もちろん数馬にも見当はつかない。ただ「なにか企んでいる」という感じだけは慥《たし》かなように思えた。

「こっちだ」と低い呼び声が聞えた。

「大丈夫か」とべつの声がした。

「大丈夫だ」とさきの声が云った、「舟は小さいが三人は大丈夫乗れる」

「いったいその舟はどう都合したんだ」

「なに偶然みつけたのさ」穴のあいた鐘を叩くような声の男が、その声をひそめてくすくす笑った、「――どこかの折助かなにかだろう、毎月五の日に、舟を乗りつけて奥庭へ忍びこむんだ」

数馬は「う」といって首をちぢめた。

「浮気な下女か端下《はした》とでもできているんだろう、十時ころにやって来て明けがたに帰るんだ、今夜もいまごろは、薪小屋か厩《うまや》の隅で鼻の下を伸ばしてるに違いない、ばかな下郎さ」

こんな不当な悪口、まるで見当外れな蔭口《かげぐち》を聞かされては、誰だって愉快な気分ではいられない。

――こいつら知らねえな。

おれが下女や端下のところへ忍びこみ、薪小屋や厩の隅なんぞで逢曳《あいび》きをするような人間だと思うか。そう考えると怒りのために軀がふるえ、危なくそこへとびだしそうになった。だが相手は三人のようだし、なにをするのかようすをみたいと考え、かれらのあとからそっとついていった。

「おそろしく重いぞ、落すなよ」

「まだいつき姫よりいいさ」と穴のあいた鐘を叩くような声の男が、その声をひそめて云った、「あのときはばかげて重いうえに暴れるものだから手を焼いたぞ」

「舟はどっちだ」

「その植込の脇をはいれ」

常夜燈の光で、かれらの姿がちょっと見えた。いずれも黒い頭巾で顔を包み、三人がかりで大きな細長い荷物を担いでいた。

――いつき姫よりましだ。

数馬はその言葉を吟味してみた。

十月に逢ったとき、「姉が家臣の一人と出奔した」ということをちづか姫から聞いた。大名の姫が家臣とかけおちをするというのは、当時として稀有《けう》な出来事であろう。尤《もっと》もいつき姫は年もいっているし、ずぬけた巨軀《きょく》で、縁遠いことは慥かだから、気にいった若い家来を誘惑したと考えられないことはない。ちづか姫もそう推察していたようであるが、いま聞いた言葉が事実だとすると、かどわかしである。

――ばかげて重いうえに暴れた。

数馬は口をあいた。かれらは姫を担いで逃げたのだ。いまもなにか担いでいた。長くて大きな荷物を、そして「重いぞ」と一人が云っていた。長くて大きな荷物。

「ながを姫は肥えていた」と彼は口の中で呟いた、「こずえ姫は細くて、棒柱に手足と頭をくっつけたようだった」

もうひとり誰だったか、自分を侮辱した姫がいた。なんでも梯子《はしご》に縁のある姫だ、と数馬は記憶をめくり返した。梯子。

「みゆき姫」と彼は云った。

そのとき侍の一人が戻ってきた。同時に反対のほうから、ちづか姫の侍女の早苗だろう、手燭《てしょく》を持ってこっちへ来る女性が見えた。数馬は植込の中へすべりこみ、侍のあとを追っていった、今夜はちづか姫に逢ってはいられない。早苗に断わっている暇もない――。いつき姫が誘拐《ゆうかい》され、いま担がれていたのがみゆき姫だとすれば、この屋敷の中でなにかよからぬ陰謀が企まれているのだろう。

――これは他人《ひと》ごとではないぞ。

数馬はふるい立った。ちづか姫との関係があるので、自分が陰謀にかけられたような気持になったらしい。すばやく跟《つ》けてゆくと、侍はすぐに戻って来た。すると早苗が、「五橋さま」と声をひそめて呼び、その侍はぎょっとしたように立停った。

早苗は例の常夜燈のところにいる。侍は木蔭へ身を隠した。両者の距離は約二十尺。数馬は闇の中を迅速にすり寄ってゆき、侍が振向くより早く、烈しい当て身をくれた。ことによると肋骨《ろっこつ》が一本折れたかもしれない、侍は「うっ」といったまま倒れた。持っていた物が落ちたので、拾ってみると刀が二本あった。気絶した侍は両刀を差している。するとその二本は舟にいる侍たちのものだろう、数馬はそれを持って、植込のあいだを堀端のほうへぬけていった。

「五橋さま——」と早苗の呼ぶ声がした、「どこにいらっしゃるの、数馬さま」

数馬は堀端へ着き、下を覗《のぞ》いた。眼の下に自分が借りて来た舟があり、黒い人影が二つ認められた。

「おい、みつかったぞ」と数馬は囁き声で呼びかけた、「おれも乗っていくから頼む」

「そいつはむりだぞ」

「しっ」と数馬が制止した、「すぐそこに人がいるんだ、声をたてるな」

彼は「刀だ」と囁いて、持っていた二本の刀を渡し、すばやく石垣づたいに舟へおりていった。

## 六の二

——こいつらに気づかれてはならない。数馬は想像の中で自分の口をつねった。

——いいか、口に気をつけろ、うまく声や言葉つきをごまかすんだぞ。

舟は動きだしていた。もともと漕《こ》ぎ手のほかに二人しか乗れない小舟で、そこへ荷物のほかに三人乗ったのだから、ふなあしの重くなるのは当然だし、漕ぎ手の侍があまり上手とはいえない腕前なので、櫓《ろ》を操るごとに左へ右へと舟がひどく傾き、そのたびに水が舟べりを越えそうになった。

「おい大丈夫か、藤井」と侍の一人が不安そうに云った、「そんなに揺すらかすと舟がもっくり返ってしまいそうだぞ」

「人数が多すぎ、るんだ」と相手は喘《あえ》ぎながら答えた、「おまけに、みんな舟の、乗りかたを、知らない、おれがこう、櫓を押すときは、重心をこっちへ寄せ、こう引くときは」

「重心とはなんだ」

「みんなの重みの中心だ、つまり、押すときはこっちへ軀を傾け、引くときはこっちへ、いっしょに軀を傾ける、そうだ、あっ、それはだめ、それは逆だ」

「ああびっくりした」と一人が云った、「いまこそもっくら返ったかと思った、慥かなところ水が少しはいったようだ」

「よし、よし」と漕ぎ手が穴のあいた鐘を叩くような声で云った、「その調子だ、吉川《きっかわ》はなかなかうまいぞ、倉持は吉川の動くように動いてくれ」

吉川とはおれのことだな、と数馬は思った。漕いでいるのが藤井、この妙な言葉使いをするのが倉持か。

――こいつらどこへゆくつもりだろう。

どうぞゆき着くまでみつかりませんように、と数馬は心の中で神仏に祈った。人間が神仏に祈るなどということはそうしばしばあるものではない、と非難する読者があるかもしれない。現代では文明の発達で、人間はいろいろな社会制度に保護されているから、「神仏」などという有無不明なものにたよる気持は少なくなっているが、この物語の時代にはそうではなかった。社会制度は権力者のためにだけあったものだし、日月蝕《にちげっしょく》はもとより、地震やかみなりでさえその原理がわからず、これらの事象にぶっつかるたびに、人びとは「神仏」の加護を乞うほかはなかったのである。――で、数馬は神仏に祈ったわけだが、そのために事がうまくはこんだかどうかは、筆者も断言したくないと思う。

舟は備前堀《びぜんぼり》から三十間堀にはいり、西へまっすぐにいって、汐留橋《しおどめばし》を左に曲ったところで停った。右は脇坂淡路守《わきさかあわじのかみ》の本邸、左の石垣に船着きがあり、船を繋《つな》ぐ杭《くい》と、石段があった。

「吉川」と藤井が云った、「ちょっといってようすをみて来てくれ」

数馬は首をすくめた。こっちはなにも知らないから、どこへなんのようすを見にゆくのか見当もつかない。ごまかすほかに手はないので、立ちあがるなり躓《つまず》いたふりをし、「痛い」と云ってしゃがみこんだ。

「こう見たところ」と倉持が云った、「やっぱり吉川はまのよく合うほうじゃないな、ええ、おれがみて来よう」

藤井は舟を繋いでから、荷物の側へすり寄って、その頭部へ耳を近づけながら、呼吸しているかどうかを慥かめた。

「静かな息だ、眠っているのかな」と藤井は彼独得の声で囁いた、「女というやつは生命力の強いものだ、男ならとっくに窒息しているところだろうが、まだ十四やそこらの小娘のくせに、こんなふうに包まれ縛りあげられ、猿轡《さるぐつわ》を嚙まされながら、すやすやと安らかな寝息をたてている、——それとも大名そだちは人間の出来ぐあいが違うのかな」

数馬は含み声で「そんなこともあるまい」と云い、いそいで咳をした。

藤井がひょいと振向いた。声がおかしいと思ったらしい、数馬はまた咳きこみ、咳きこみながら「風邪をひいたようだ」とあいまいに呟いた。藤井はなお不審そうに、「おい吉川」と呼びかけたが、そのとき倉持が石段をおりて来て云った。

「大丈夫、手筈どおりにいってる」

「よし」と藤井が云った、「おりて来て手伝ってくれ、いや吉川はいい」

「どうして」

「吉川はこの舟を元の場所へ戻しておくんだ」と藤井が云った、「さもないとあのまぬけな折助かなにかに怪しまれるし、第一おまえ自身が屋敷にいなければ怪しまれるぞ」

「割符《わりふ》を合わせるように正確な理屈だが」と倉持が云った、「この荷物を二人では少しむりだ、担ぎこんで帰ったってさほど刻《とき》はかかりやしない、三人でやるほうが早いよ」

「倉持はすぐにこみいったことを云う、そんならそれで早くしよう」

三人は荷物を担ぎあげた。

——みゆき姫、十四歳だとするとやっぱりみゆき姫だな。

数馬はそう思った。すると、はるか上のほうから彼を見おろして、「こんなちびは嫌いだ」と云った、あのこなまいきな末姫の姿が思いうかび、彼は空想の中でべろを出してみせた。

——どうだ、まいったか、このおてんば。

こういった気持だったが、さすがに彼はそういう考えをすぐに恥じた。たとえ無礼なことを云ったにしても、相手はまだ十四歳にしかならない少女であり、ちづか姫の妹であってみれば、やがては自分の義妹になる筈である。

——つまりこいつらは。

数馬は自分に云った。おれの妹を誘拐しているわけだ。なんのために、どういうこんたんで誘拐するのか、誘拐してからどうするつもりか、おれはつきとめてやるぞ。こいつらはおれのことを、どこかの折助だなどと云やあがった、いまにみろ、と彼は思った。

石段をあがると広い道で、片側に武家屋敷が並んでいる。脚部を担いだ倉持が先頭で、黒い板《いた》塀《べい》に沿って右へゆき、隣り屋敷とのあいだの、狭い横丁へ曲った。二十間ばかりいったと思うと、暗がりの中に提灯《ちょうちん》があらわれ、それが合図だろう、上下に三度動いた。

——おや、あれはなんだ。

数馬は提灯を見て戸惑った。その提灯には子持ち丸に沢瀉《おもだか》の紋が描いてあった。紛れもなく、それは奥平家の替紋である。土井氏も水野氏も同じ紋であるが、どちらもこの辺に屋敷があるとは聞かない。だが、奥平家には汐留橋の近くに中屋敷があった筈だ。

——いや、そんな道理はないだろう。

数馬はひそかに首を振った。本邸の姫を中屋敷へ誘拐するなんて、それではまるで、このおれの中でおれに知れないようにこのおれをかどわかしてるようなものじゃないか、え。

六の三

提灯の出ているところは門ではなく、黒板塀の一部に巧みな操作をして、人の出入りができるだけ取外しがきくようになってい、閉めれば塀そのものになるのであった。塀の中にも三人の侍が待っていた。これらも黒い頭巾で顔を包み、一人が提灯を持っていた。

「御苦労」と三人の中の一人が、ひどくとりすました喉声《のどごえ》で低く云った、「手ぬかりなくやったであろうな」

「万事うまくまいりました」と藤井が例の声で答えた。

「よし」と気取った喉声が云った、「ではそのままいつものところへ」

数馬は荷物の胴部を担いでい、歩いてゆきながら、ゆだんなく左右に眼をくばった。先導する提灯の、光の届く範囲しか見えないが、五十歩ばかりゆくと木戸があり、それをはいると枯木林で、池があり、亭があった。続いて大きな建物の脇へ出たが、そこで藤井が「止れ」と声をかけた。

「吉川はここで帰れ」と藤井は云った、「あとは二人でやれる、舟のほうが心配だからいそいで帰ってくれ」

数馬は肩を外して脇へ出た。

「どなたか案内を頼みます」

「いや大丈夫」と数馬は含み声ですばやく云い、咳きこみながら手を振った、「それには及びません、馴れていますから独りでも大丈夫です」

「馴れているって」藤井が聞き咎《とが》めた、「馴れているとはどういうことだ」

数馬は息が詰った。

——しまった。

彼は自分の背丈が急に五寸もちぢむように感じ、膝がしらがふるえた。おれは初めてここへ来たらしいな、と彼は思った。このまえもここまでは来なかったのだろう、失言だ、もちろん、これは極めて短い瞬間のことであった。伯父の戦記を捏造《ねつぞう》するくらいの狡猾《こうかつ》さは持ち合せている彼なので、平然と頭巾を直しながら、含み声で反問した。

「なにが不審ですか、私がこの中屋敷に詰めていたことを忘れたんですか」

「そうか」と藤井が云った、「そうだったかな、まあいい、いそいで帰ってくれ」

では と云って数馬は引返した。

——間違いない、ここは奥平家の中屋敷だ。

中屋敷と云ったのを否定しないとすれば、自分の想像は当ったのだと彼は思った。だがこれからどうする、舟なんか構わない、このまま邸内にひそんで、誘拐された姫たち二人がどうされるか。かれらがなに者で、なにを企んでいるか、それを探り出すほうが先だろう。

「——いや待て」と数馬は呟《つぶや》いた、「そいつは危ないぞ、舟が戻ったか戻らないかは、藤井たち二人にはわかるまい、どこかの折助が乗って帰ったとすれば、舟はどっちでもいいがこのおれ、いや吉川というやつがいる」

当て身をくれて気絶させたが、息を吹き返したらどうする。おそらくそのまま本邸にはいられまい、逃亡して藤井らに報告することは間違いないだろう。

「間違いないな」と数馬は呟いた、「とすると、吉川の代りに来たおれの身が危うくなる、そいつはなに者だ、この中屋敷にひそんでいるかもしれぬぞ、邸内くまなく捜してみろ、ということになるだろう」

やめた、と数馬は首を振った。

おれの目的はこんなことではない。伯父の彦左衛門をうまく世に出してやり、それに乗じて自分も出世をする、そしてちづか姫を迎えるということが第一ではないか。こんな、大名家中のえたいの知れない内紛など、世間にはいくらでもころがっていることだろうし、おれの知ったことじゃあない。

「へ、おれの知ったことか」

彼は例のぬけ口の近くまで来て、無意識に、さっと脇のほうへ身を隠した。黒板塀のぬけ口のところに、番士とみえる侍が二人立ち話をしていた。そこまで来て、どうして身を隠したのかわからない。

——ばかなまねをするな、出てゆけ。

いま出てゆけばまにあうぞ、と思うのだが、軀《からだ》のほうが云うことをきかなかった。人間は意志によって行動する動物だという。たいそう乙な定義であり、一面そのとおりかもしれないが、いつもそうとばかりは限らないし、肉躰《にくたい》や本能の支配に負けた結果、あとで臍《ほぞ》を嚙《か》むどころか、足の踵《かかと》でも嚙みたくなるほど後悔することも、決して稀《まれ》ではないようだ。

そのときの数馬が肉躰の支配に負けたとは云わないが、「いまのうちに出よう」という意志に反して、軀が云うことをきかなかったのは慥《たし》からしい。冗談じゃないどうするんだ、こう思って、自分の腿《もも》をつねってみたりした、軀は頑として動かなかった。

——臆病者め。

——この場に及んで逃げるのか。

あの姫たちはききさまの義姉妹だぞ。

そしてまた、「義を見てせざるは」うんぬんなどという言葉が、頭の中というより軀ぜんたいが喚きたてるように感じられた。

「それもそうだ」と数馬は口の中で呟いた、「誰かに感知されたと気づいたら、かれらはなにをするかわからない、ことによると二人の姫たちの命をちぢめるかもしれない、悪いことを企むやつはたいてい悪人だからな、ここで姫たちを見殺しにするようなら、おれは出世するどころか侍と云う値打もないぞ」

数馬は天を睨《にら》み、唇をひきむすんで、大きく、いさましく自分に頷《うなず》いた。

彼は木戸まで戻った。むろん元のところからはいるわけにはいかない、そこは奥庭との境になっているのか、六尺ほどの高さの板塀がめぐらせてあった。彼はその板塀を乗り越えた。地面は氷っていて固く、草履だから足音を忍ぶにはお誂《あつら》えむきである。およその勘で、さっきの建物のほうへ進んでいったが、この辺だと思う場所までいっても、提灯の火はもとより、人ごえも、人のいるけはいもなかった。

「もう終ったのかな」と彼は自分に囁《ささや》いた、「すると、どうしようもなしか」

そのとき人の話し声が聞え、数馬はすばやく、傍らの植込の蔭《かげ》へ身をひそめた。——木戸のほうから提灯の光といっしょに、三人の侍がこっちへ来る、二人はぬけ口にいた番士らしく、一人は倉持だということが声でわかった。

「紛れのないところ」と倉持が云った、「誰も外へ出た者はないというのだな」

「二人で見張っていたから慥かです」

「その見張りが慥かだと証言できるか、このまえも酒を飲むために、持場をはなれて譴責《けんせき》されたことがあるだろう」

## 六の四

「それはその、あのときはあれで」

「息を嗅《か》がしてみろ」と倉持が云った、「顔色には出なくとも、酒を飲んだ息の匂いは隠せない、さあ、まず木屋からやれ」

「しかし酒とこれとは」

「いいからはあと息を吐いてみろ」

その男が「はあ」と息を吐いた。数馬のところからは見えないが、あんまりばかげているので危なくふきだしそうになった。

「臭い、酒臭いぞ」と倉持が云った、「次は永田だ、なにを尻込みをしているか、はあとやれ、はあと」

永田という侍が「はあ」とやった。

「失礼だが」と木屋と呼ばれた先の男が憤然と云った、「私どもは塀口《へいぐち》の番を命ぜられました、だから番をしていましたので、酒を飲んだのは寒気を凌《しの》ぐため、要するに番を誤りなく勤めるために飲んだのですから、番の怠慢で咎められるならともかく、酒のことで咎められるいわれはないと思います」
「うまい論理だな、うまい」と倉持はおもおもしく云った、「それなら云ってやるが、おまえたちはこのまえも、酒を飲むために持場をはなれた、いいか、今夜あの塀口を出ていったのはわれわれの親しい朋友《ほうゆう》で、重大な仕事を受持っていたのだ、いいか、慥かなところ吉川市兵衛には重い任務があり、この屋敷を出なければその任務ははたせない、彼はそのゆえに現在おれたちの眼の前で引返していったのだ、その事実はおれたちばかりでなく、おやかた、――いや、幾人もの者が認めているのだ、わかるか」
「わかります」
「次に」と倉持は続けた、「おまえたちは酒を飲んでいた、おれは腹もへっているし一杯やりたくて喉がひくひくしている、おれは日が昏《く》れると飲まずにはいられない性分だ、いつだったか女房が病気で寝ているところへ赤ん坊まで風邪をひいて、おまけに老母が痛風だというごった返しているさいちゅうでさえ、――えへん、そこでつまるところ、おまえたちは酔っていた、そうだろう」
「酔うほど飲んではいません、寒さ凌ぎにちょっとやっただけです」
「酒は飲めば酔うものだ」倉持はやり返して云った、「もし酔わないとしたらなんのために酒を飲む、寒さ凌ぎなら熱い茶でもまにあうだろう、金は使うために儲《もう》けるものだし、美人は抱き寝をしてたのしむためにある、酒は酔うために飲むものであり、これらのためにおやかたさまはじめわれわれ一党の、――で、吉川は塀口を出なかったというのか」

二人は明らかにうんざりしたらしい。

「そう云われてみると」永田という侍が伴《つ》れに向って云った、「――なあ木屋、忘れていたが一人出ていったぞ」

「出てった出てった」と木屋も云った、「どうして忘れていたんだろう、慥かに出ていった、倉持さん出てゆきましたよ」

「それみろ、などということはおれは云わない、酒が人間にどう作用するかということをおれは知っているからな」と倉持は満足そうに云った、「ではいって休め、おれもお小屋へ帰って一杯ひっかける、女房のやつ機嫌よく起きてくれればいいが、……どうしてあの女は」

あとの言葉は聞えなかった。

――かれらにも日常生活がある。

数馬は倉持のゆくほうへ跟《つ》けてゆきながら、一種ふしぎな親しみを感じた。

ここが奥平家の中屋敷で、かれがお小屋に住んでいるとすれば、主家の姫ぎみを二人かどわかしたことになる。

「おやかたさま」というのがなに者かわからないが、どうやら企みの主謀者か、重要な幹部と推察される。それらが一党となって、奥平家に騒動を起こそうとしているのだろう。憎むべき悪人ども奸物《かんぶつ》、なんと云っても飽き足りないくらいであるが、そういう悪人であっても「日が昏れると酒を飲まずにはいられない」とか、「女房が機嫌よく起きてくれればいいが」などという人間らしい弱さやかなしさ、家常茶飯の心配をもっている。数馬にはそれがふしぎでもあり、また頰《ほほ》笑《え》ましくも感じられたのであった。

――おやかたさまなる者が、一党を組んで陰謀を始めたのも、富、美女、酒のためだ、と云ったな、倉持には倉持なりの人生観があるんだな。

そう思ったとき、数馬の頭の中でぴちんとなにかのはじける音がした。こんどこそ意志が肉躰を支配したといえよう、彼は敏速な動作で倉持に追いつき、相手が振返ろうとするところを、右手でうしろから首を絞めあげ、左手の拳《こぶし》を肋骨《ろっこつ》の三枚めに当てながら、「声を出すな」と囁《ささや》き、そのまま強引に脇のほうへ引きずっていった。

冴《さ》えた星あかりで、向うに長屋らしい建物がぼんやりと見え、左側にまっ暗な樹立《こだち》がある。数馬はその樹立の中へはいり、あたりのようすに耳をすましてから、「おれは本邸の者だ、温和《おとな》しくしろ」と囁いた。右手では首を絞めつけたまま、左手の拳で二度ばかり、あばら骨の急所を小突いた。

「きさまたちの企みは探知されている」と数馬は相手の耳に口をよせて囁いた、「だが事をあらだててはお家のためにならない、なるべく世間に知れないように、また罪人もできる限り少なくして事をおさめたい、というのがわれわれの意向だ、わかるか」

倉持はぜいぜい喉を鳴らしながら、やっとのことで頷き、「わかりました」と云った。

「まず訊《き》くが、姫ぎみ方は無事か」

「御無事です」

「姫たちをどうするつもりだ」

「わかりません、いや、存じません」

「おい」と数馬は腕に力をいれた、「きさま命が惜しくはないのか」

倉持は「ぐっ」といってもがいた。数馬は力をゆるめてやった。

「本当に知らないのです」倉持はしゃがれ声で囁き、音をひそめて、苦しそうに咳《せき》をした、「姫ぎみ方のお命に別条のないことは慥かですが、どうなさるかということは弥五郎さま、おやかたさまの御方寸で、私どもにはなにもわかってはいないのです」

「おれはきさまを助けてやりたい」と数馬は尤《もっと》もらしい口ぶりで云った、「きさまはあんな一味に加わるような人間ではない、侍の義理にせまられて、やむなくなかまに入れられたのだと思うがどうだ」

「仰《おっ》しゃるとおりです、なにしろこの中屋敷にいる限り、おやかたさまの命令にそむくわけにはまいりません、私だけいやを申すわけにはまいらないのですから」

「おれはきさまを助けてやる、その代りきさまもおれに力を貸せ」

「それはその、私にできることなら」

「できないことでもするんだ」と数馬がきめつけた、「もっとこっちへ来い」

## 七の一

数馬はとび起きた。

「なんです」と彼はねぼけまなこで吃《ども》った、「火事ですか」

「ねぼけたことを云うんじゃありません、起きて洗面をなさい」と母の声が云った、「あなたに面会の客です」

数馬は眼をこすり、欠伸《あくび》をした。そこに若い母が立っていたが、母その人よりもみごとに張り出た腹部が立っているように見えた。数馬はもういちど欠伸をした。

「失礼」と彼は自分の口を押え、それから急に母を見た、「私に客ですって」

「わたしはああいう人間を客とは云いたくありません」千貝女は云った、「この家へも出入りしてもらいたくありませんが、とにもかくにも侍の恰好をしておいでだし、玄関へ訪ねて来たとあれば客というよりしかたがないでしょう」

「はあ、そうですか」と答えながら数馬は立ちあがった。

「そうですとも」と母の千貝は云った、「断わっておきますけれど、お招きした方でない限り、家では茶の接待はしないことに致しましたからね、ようございますか」

だんだん一級の継母《ままはは》になって来る、と数馬は思った。この調子だと本当に物差でぶたれたり、お灸《きゅう》をすえられたり、柱に縛りつけられたりするかもしれない。それもそんなに遠い先のことではない。現にいまだって右手の指をひくひくさせていた。

——あれはつねりたかったんだ。洗面をしながら彼はそう思い、つねられたら痛いかどうか、ためしに自分で頬をつねりあげてみて、「痛え」と云った。

　母の言葉つきで、客が誰かということは見当がついていた。着替えをして客間へいってみると、予想どおり水野十郎左衛門だったが、おどろいたことに前髪をおろしていたし、あの派手な大振袖ではなく、尋常な紋服に袴《はかま》という姿で、人が変ったようにおとなびてみえた。

「待たせて済まなかった」と数馬は坐りながら云った、「元服をしたのかい、ずいぶん早いじゃないか、いや、早いと云ったのは時刻のことだ、まだ外はうす暗いだろう」

「年が明けたから元服しました」と十郎左は答えた、「時刻はそう早くはない、うす暗いのは屋内だからで、外はもう日が出ています」

「まあらくにしてくれ」

「いや、本所へゆきたいんです」

「なにかあったのか」

「とうとうやりました」と十郎左が云った。彼の頬が急に赤くなった、「大久保さんが登城して、御意見番の名のりをあげたんです」

　数馬は呼吸を止め、十郎左の顔をみつめながら、そろそろと止めた息を吐きだした、「なんだって」と数馬は反問した。

「大御所（秀忠）が御重態だということは知っているでしょう」

「うう」数馬はあいまいに云った、「御病気だということは聞いていたが、このところずっと妙な用事で追いまわされていたから」

「大御所は御重態なのです、今日明日も知れぬということで城中はたいへんな騒ぎなんですが」と十郎左が云った、「そこへ昨日、――大久保老が登城し、将軍家（家光）のお立会いを求めたうえ、大御所の御前において、東照公の御墨付を披露し、天下の意見番たることの公認を請願されたのです」

「あの墨付を」数馬は自分の顔が蒼《あお》ざめるのを感じた、「御二代の上さまの御前でか」

「大御所さま、将軍家の御前でです」

「その」数馬は舌が重くなるように思った、「その、結果は」

「御墨付をごらんになると、大御所さまには涙をこぼされ、御重態の身にもかかわらず褥《しとね》の上に起き直り、おなつかしや、といって墨付を押し戴《いただ》かれたとのことです」

数馬はぎゅっと眼をつむった。

――このしれ者め。

そう云う叫びとともに、天空からいかずちが落ちて来て、軀をまっ二つに裂かれるような気がしたのである。だが数馬は両の肩をぐっと突きあげ、拳を膝《ひざ》に突き立てて、その計り知れぬ重さの衝撃を受け止めるために、全身の力をふりしぼった。

「続いて大御所には」十郎左は云っていた、「よくぞ世に出る気になった、小田原の事があって以来、東照公はもとより、自分もそのほうの身をつねに案じていた、もはや存生ちゅうに顔を見ることはできぬかと思っていたぞ、と仰せられたそうです」

「すると、大御所は、よろこばれたのか」

「念に及びますか」十郎左は涙ぐんでいた、「将軍家はまだ若年である、余に万一のことがあった場合、外様《とざま》諸侯がどう動くか予測がつかぬ、自分の心残りはその一事だということを忘れるな、そのほうは天下の意見番、閣老はもとより将軍家においても、不得心のことあらば遠慮なく意見するがよい、——東照公のみたまの許しを得て、余が副署をしよう、そう仰せられて御硯箱《すずりばこ》をとりよせ、御墨付の末に秀忠と花押《かおう》を記されたということです」

数馬は五躰のふるえるのを抑えることができなかった。なにか云わなければと思うのだが、歯と歯がかちかちと鳴り、舌が口の中いっぱいに厚ぼったく硬《こわ》ばって、どうにも口をきくことができなかった。

「どうしたんです、五橋さん」十郎左は拳で眼をぬぐいながら云った、「これを聞いてもあなたはうれしくないんですか」

うれしくないかって、とんでもない、おれは罠《わな》にかかった鼬《いたち》のように怯《おび》えあがっているんだ、と数馬は思った。

「なにも」と数馬はうがいでもするような喉声《のどごえ》で、一と言ずつゆっくりと云った、「——そうなるべきことが、そうなったに、すぎない、なにを改めて、うれしがることが、あるか、なにを改めて」

「さすがですね」と十郎左は大きく頷いた、「彦左老が出たがらないのを、五橋さんは手を替え品を替え煽動《せんどう》していた、その努力がみのったのだからさぞよろこぶだろうと思ったのだが、云われてみれば当然のことですからね、よろしい、その意気でひとつでかけましょう」

「でかけるって、どこへ」

「むろん本所ですよ」

「なにをしに」

「じれったいな、どうしたんです」と十郎左は膝を叩いた、「天下の御意見番ともなれば、本所のあんな小屋敷にくすぶらせて置くわけにはいかないじゃありませんか、もっと市中へ出て、大きな屋敷を建てて、天下の御意見番らしい門戸を張るんですよ」

「しかし、伯父にそんな金は」

「その相談です」と十郎左は云った、「彦左老の戦記を読むと、うしろめたい大名がかなりいますよ、戦場の話ですがね」

「うん」と数馬は心ぼそげに頷いた。

「そいつらをゆさぶるんです」と十郎左は面白そうに声をやわらげた、「――三千両や五千両はぞうさなく集まりますよ」

## 七の二

大名どもをいたぶる。それも伯父の記録にもとづいて、戦場でうしろめたい事があった大名を、

——冗談じゃない、と数馬は思った。あの記録は数馬の書き替えた偽作である。伯父を世の中へ出すため、伯父をしてみずから感奮興起させるために作ったものだ。

「ちょっと待てよ」と数馬は考えぶかそうに云った、「伯父がしんそこ天下の意見番になるつもりなら、大名なんぞから金を召しあげたりすると今後のためにならないぞ」

「どうしてです」

「金くらい人間の自由を縛るものはない、たとえば誰それを譴責《けんせき》するという場合、その男から金を受取っていたとすれば鉾先《ほこさき》がにぶる道理だ」

「彦左老がですか」と云って十郎左は高笑いをした、高笑いというより、笑いとばすという感じである、「まあ聞いて下さい」と笑いやんで云った、「あなたは知らないでしょうが、彦左老は立ちあがったんですぞ、三千や五千の金を召しあげたぐらいで、鉾先のにぶるようなふらふら腰じゃあない、大久保さんは立ちあがったんです、論より証拠、すぐに支度をして下さい、いってみればわかりますよ」

十郎左は替え馬を一頭曳《ひ》いて来てあった。五橋家に馬のないことを知っていたからで、というのは、若い母の千貝女が売ってしまったのである。もはや合戦もないであろうし、御府内なら歩

いて充分に用がたせる、ぜひ必要なときは借りればよし、常に馬を飼って置くなどとは不経済である。というわけで、馬も売ったし馬番にも暇をやり、厩《うまや》は毀《こわ》して焚木《たきぎ》にしたが、それさえも半分は勿体《もったい》ないからと、薪のように束ねて売ったくらいであった。

——これは職制違反だぞ。

そのとき数馬はそう思った。たとえ七百石ばかりの旗本でも、馬を持たないという法はない。五百石ぐらいの小旗本でさえ、二頭も馬を飼っている者がある。武備の制度はいろいろ簡略になりだしたが、世間に対して、馬一頭も持たないというのは面目ないはなしである。なんとか云いそうなものだといきどおったけれども、養父の三郎太郎左衛門はでれりとして、うんよしよし、などと眼を細めるばかりであった。

——おい、そんなことより大きな問題があるぞ。

馬を駆ってゆきながら、数馬は自分に首を振った。伯父の記録をどうする、あれは偽作で事実とは違っている。誰と誰かは忘れたが、伯父をひきたてるため、幾人かの大名にけちをつけた。そんな偽作をたねに捻《ね》じこんだら、却《かえ》ってこっちが恥をかくだけだ。

——どうにかして揉《も》み消そう。

どんなことをしても云いくるめて、こいつの悪だくみをやめさせなければならない。どんなことをしても、と彼は思った。

本所の屋敷へ着いて、数馬は胆を抜かれた。馬からおりて狭い横丁をはいってゆくと、伯父の家の庭から烈しい気合の声が聞えて来た。道は霜どけでぬかっていたが、門のところへいって、脇の木戸から覗《のぞ》いてみると、庭で伯父の彦左衛門が、一人の若者を相手に、稽古《けいこ》槍《やり》をふるっているところだった。

彦左老は双肌《もろはだ》ぬぎで、庭も霜どけだものだから、はねあがった泥が足から腰、裸の胸や背中まで、べた一面にくっついていた。

数馬はびっくりした。といっても、はねた泥のひどさに驚いたのではない、伯父の軀のみごとさにである。彦左衛門は今年七十三歳になる筈だが、数馬の眼にはずっと以前から、七十歳を越して老衰した人のようにしかみえなかった。ところがいま、裸になった上躰を見るとどうだ、焦茶色の肌は艶《つや》つやしく、筋肉はひき緊り、二の腕には固い肉瘤《にくりゅう》がもりあがっている。老衰どころか、殆んど四十歳の壮年ともいうべき逞《たくま》しさと、精悍《せいかん》な若わかしさに満ちあふれていた。

——とんでもないじじいだ。

と数馬は心の中で舌を巻いた。

——あんな軀をしていて、よくもいままで菊や朝顔なんぞ作っていられたもんだ。

おれはいっぱいくったような心持だ、と数馬は思った。

槍の相手をしている若者は、誰だかわからない。これは伯父よりもひどく泥をかぶってい、そいつを手でこすったものだろう、泥の中から眼と口が覗いているだけで、人相などはまったく判別がつかなかった。

「やあへい」と彦左老が叫んだ、「へーい、へいやあ」

彦左老の槍が閃《ひらめ》くと、高い音がして、若者の槍は若者の手からはなれ、生き物のように宙へ舞いあがり、そうして、いまは菊のない菊畑の土の上へ落下した。むろん彦左老はそんなことを見てはいない、相手のえものをはねあげるなり、「へいおう」と叫んで踏み込み、相手の胸板へと槍を突込んだ。

「あの」と数馬が声をあげた。

伯父の槍が相手を田楽刺《でんがくざ》しにしたかと思ったのであるが、たんぽ槍の尖端《せんたん》は胸板すれすれの一点で止り、相手の若者はしりもちをついて、いまにも死にそうに喘《あえ》いだと思うと、いいしろ眼を剝《む》いて仰反《あおむ》けさまにぶっ倒れた。

「太兵衛」と彦左老は喚いた、「こいつに水をぶっかけてやれ」

見ると向うに太兵衛がいて、水手桶《みずておけ》が五つばかり、太兵衛はその一つを提げて来ると、倒れている若者の顔へ、ざっと水をぶちまけた。

「ひょう」と若者は叫び、ばね仕掛のように上半身を起こし、彦左老を見て、顔を振りながら云った、「——まいった」

「坂部だ」と水野十郎左衛門が呆《あき》れたように云った、「坂部三十郎だ」

ぶっかけられた水で泥がおち、初めて若者の相貌《そうぼう》があらわれたのである。まさに坂部三十郎、白柄組《しらつかぐみ》でも暴れ者の第一人者といわれた、坂部三十郎その者であった。

「太兵衛」と彦左老は胸を叩いてどなった、「おれにも二三杯ぶっかけてくれ」

太兵衛は水手桶を取りにいった。そうして、手桶を二つ提げて来ると、両手をひろげて立っている彦左衛門めがけて、正面から手桶の水をたたきつけた。水は老人の顔から胸に当って飛沫《ひまつ》をとばし、老人は両手で胸をこすりながら、腹をゆすって笑った。読者諸君はあるいは信用なさらないかもしれないが、そのときの笑いはまさにかの「かんらからから」という豪傑笑いそのままであった、ということを敢えて申上げておきたいのである。なぜかなら、彦左老は戦場生き残りの勇士であり、戦場における巧みな戦士は、敵の心胆を寒からしめるためにあらゆる威嚇《いかく》手段をとった。水牛の角の兜《かぶと》しかり、鬼面の前立しかり、すべてを朱色仕立てにした赤備《あかぞな》えしかり、といったぐあいで、「かんらからから」もまた、戦術的笑いの、――いや、彦左老がこっちへ向きました、話を進めるとしましょう。

七の三

彦左衛門はこっちへ向き、数馬と十郎左を見て、右手の拳を空へと突きあげた。

「よう、来たな小わっぱども」と老は大音声《だいおんじょう》で叫んだ、「そんなに着ぶくれるほど寒いか、一と揉《も》み揉んで汗をかかせてやるぞ」

「まあまあ」と数馬が云った、「今日は大事な相談があって来たんです、稽古はどうかこの次にして下さい」

太兵衛が三十郎を援《たす》け起こし、数馬は十郎左を促して家の中へはいった。

いつもの座敷へはいると、数馬はまた驚いた。そこには三尺四方もありそうな、巨大な火鉢があり、新しい蒲《がま》の円座が、その周囲に置き並べてあった。火鉢には炭火がよくおこっており、脇のところには銚子《ちょうし》や盃《さかずき》など、酒の支度がととのえてあった。

数馬は十郎左に振返った。

「どうです」と十郎左はそれらのほうへ手を振ってみせた、「これでわかったでしょう、大久保さんは人が変りましたよ」

「そうらしいな」

数馬が答えたとき、うしろで「おいであそばせ」という女の声がした。数馬はどきっとしながら振向いてみた。なにしろ驚き続けなので、鼠が鳴いても吃驚《びっくり》したことだろうが、振向いて見ると、若い娘がそこに手を突いていた。しもぶくれの、尋常な眼鼻だちで、しなやかに温かそうな軀つきをしてい、髪は束ねて背へ垂らしてあった。

「わたくし巴《ともえ》と申します」と娘は温かい口ぶりで、辞儀をしながら云った、「どうぞお見知りおき下さいませ」

「はあ」数馬は慌てて吃った、「それはその、どうも」

十郎左はもう知っているらしい、数馬のようすを見てくすくす笑いながら、彼のことを娘に紹介した。それが終るより先に、風呂舎《ふろや》のほうで「うおー」というふうな、猛獣の咆《ほ》えるような声が三度ばかり聞え、ついで、「ともえ、ともえ、ともえはおらぬか！」という声が、天床《てんじょう》をふるわせて響きわたり、巴は二人に会釈をして、小走りに去っていった。

数馬は坐って、また十郎左を見た。

「もう私から云うことはないでしょう」と十郎左も坐りながら、去っていった巴のほうへ首を振った、「要するに御老躰は精力をつけようというわけです」

数馬はなお十郎左を見まもっていた。

「薬湯や食養生といっしょに、若い女を側に置く、いや、側に置くというのがどこまでのことを意味するか、私は知りませんよ」と十郎左は自分のことを釈明するように云った、「しかし老躰はそれが精力をつける最良の手段だというのです」

「伯父は七十三になった筈だぞ」

「それがどうだというんです」

「七十三にもなる軀であんな若い女と、その、そんなことになるとしたら、その、まるで命を削るようなものではないか」

「だからどこまでどうなっているかはわからないと云ったでしょう」十郎左はそこでにやっと歯をみせた、「——おまけに、あなたはいま庭でどんなことがあったか見た筈じゃありませんか、え、私は——御老躰よりも、むしろあの巴のほうが心配なくらいですよ」

「それにしても、いったいどういう素性の女なんだ」

「この近所の小旗本の娘でしょう、太兵衛が捜して来たそうですが、私もまだ詳しいことは知りません」

三郎太郎左衛門は孫のような嫁を貰い、しかもその若妻をすぐさま身ごもらせた。巴がどんな契約で来たかは知らないが、伯父のあの非現実的にまで逞しく、精気に満ちあふれた躰軀《たいく》から考えれば、――いや、と数馬はそこで慌てて首を振った。いや、考えるのはよそう、そんな不吉なことは考えるものじゃない、魔がさすということもあるからな、と彼は自分をいましめた。

坂部三十郎が、手拭で耳を拭きながらやって来て、どかりと坐った。

「とんでもないじいさまだ」三十郎は坐るより早くぼやいた、「呆れ返ったもんだ、おれは赤蛙《あかがえる》が皮を剝《は》がれるように、くるっと一と皮剝かれたような心持だ、まだ眼がくらくらするぞ」

「加賀爪はいっしょじゃあなかったのか」

「大作はうまく逃げた」

「逃げたって」

「あいつは勘づいたらしい」三十郎は背中を伸ばそうとして、うっと息を詰らせた、「これは背骨がどうかしたぞ、うっ、――そうだ、大作のやつは老人の眼光を見ると、急用を思いだしたと云って、鷹《たか》の爪からのがれる鳥のようにすばやく消えてしまった」

「あいつはそういう勘がよくはたらくんだ」と十郎左が云った、「いつか両国広小路で町奴と喧《けん》嘩《か》をしたときも、仁王の権六がいるのに気づいて颯《さっ》と退散した、こっちは仁王の権六なんて知りゃあしない、加賀爪だって知らなかったろうと思うが、勘でそれとわかったんだな、ものも云わずに颯と逃げてしまった」

「なるほど」と十郎左はすぐに続けた、「鷹の爪をのがれる鳥のようにか、――いかにもそんな感じだ」

「おかげでおれは二人分やられた」と三十郎が云った、「あの調子ではこれから先が思いやられるぞ」

「なに、いちどうんというめにあわせれば温和しくなるさ」

「やってくれ」と三十郎が云った、「その役は水野に任せる、寝ている虎の鼻づらを蹴《け》っとばすようなもんだ、いいからおまえためしてみろ」

「泣き言を云うな」と云って十郎左は立ちあがった、「そろそろ酒にしようじゃないか」

五合も入りそうな大きな銚子に、なみなみと酒があった。十郎左は盃を配り、銚子を持って元の座へ戻った。そこへ彦左衛門と巴がはいって来た。

「こいつら、酒だけは人並だな」老人は手拭で衿《えり》を拭きながら座った、「ともえ、おれには大きい盃を出して来い」

巴はすぐに立っていった。

数馬は空想の中で、自分の軀が一寸法師のように小さく、弱よわしくなるのを感じた。伯父はまったく人が変った。湯あがりで赤らんだ顔には皺《しわ》もみえず、贅肉《ぜいにく》のない頰や顎《あご》のあたりはよくひき緊って、膏《あぶら》を塗ったように艶光りがしていた。

──こんなことがあるだろうか。

人間が僅かなあいだに、こんなにも変貌するなどということがあり得るだろうか。それに比べれば、おれなどは一寸法師にも劣るぞ、と数馬は思った。

「ところで御老躰」と十郎左が云った、「あなたの合戦の記録をみせて下さい」

「御老躰とはなんだ」と老人が云った、「おれはまだ御老躰などと呼ばれるほど老いぼれてはおらんぞ」

七の四

「じゃあどう呼んだらいいんです」

「すべて上長の者は姓のかしら字をよけて呼ぶものだ、すなわち、おれの場合は大久保の大をよけて、久保さまと呼ぶがいいだろう」

「くぼさま、へえ」と三十郎が云った、「ちょっと聞くと、せっかちな男が将軍家を呼ぶようですな」

「坂部はなんでも譬《たと》えを引くんだ」

「これ、将軍家とはなんだ」

「くぼさま、くぼさま」と三十郎が云った、「ゆっくり云うと公方《くぼう》様と聞えるでしょう」

彦左老も十郎左も、そして数馬も、おのおの口の中でためしてみ、彦左老は「なるほど」と云って唸《うな》った。

「なるほど」と彦左老はまた云った、「これはまさにせっかちが将軍家を呼ぶようだ、これはよしにしよう」

「御老躰がいいですよ」と三十郎が云った、「天下の御意見番ともなれば、御老躰と云われるほうがおもおもしいでしょう、それに実際のところ老いぼれてるわけではないんですから、字義にこだわる必要はないと思いますがね」

このあいだに、巴の持って来た朱塗りの大盃《たいはい》——といっても一合ぐらいしか入らないようだし、御老躰はそれに半分ほど注《つ》がせ、ちびちびと舐《な》めるように啜《すす》るだけで、それならなにもそんな盃を持出すことはないと思うのだが、しかしその大盃を持った構えはいちおう勇壮にみえた、——ぐっと肘《ひじ》を張り、その大盃をねめつけながら、彦左衛門はうんと一つ頷いた。

「坂部の申すことも尤もだ、彦左衛門ともある者が、些細《ささい》な字義にこだわることはない、よし、御老躰を許すとしよう」と老人は云った、「それでその、おれの戦記を見たいというのはなぜだ」

「じつは」と十郎左がその理由を語った、「というわけで、記録に残っている戦場の実績、敵にうしろをみせたり、みぐるしい負けをした大将で、いま大名としてのさばっている者がいるでしょう」

「うん、いるいる」

「そいつらをですね」と十郎左は舌なめずりをした、「あなたの記録に基づいて威《おど》しつけ、しぼれるだけしぼった金で、あなたのために堂々たる邸宅を建てようというわけです」

「ちょっと」と数馬が口を入れた、「その水野の案は面白いと思うんですが、それについてはもっと慎重に考えなければならないと思うのです」

「なにを慎重に考えるんだ」

「つまりです」数馬は唾をのみこんだ、「つまりですね、伯父上にも記憶ちがいということがあるでしょうから、戦記がそのまま事実であるかどうかという点を」

「ばかなことを云うな」と御老躰が遮《さえぎ》って云った、「おれの記録を整理したのはおまえではないか」

「はあ」と数馬は口ごもった。

「おまえがここへ来て、諸家の記録と照合したうえ、おれの誤りを正したと云った」と御老躰はきめつけた、「おれの誤りを正して、これが真実だと、ここではっきり読みあげたではないか」

「それはもちもん、そのとおりです、しかしですね」

「こうです、御老躰」と十郎左が云った、「五橋さんとしては、大名どもから金を召しあげたりすると、御意見番としてのあなたの鉾先がなまる、つまり、金のために縛られるということを案じているわけです」

「このおれがか」と云って彦左衛門はまた豪傑笑いをした、「このおれが、五千両や八千両の金で弱腰になるというのか、ばかな」

「ばかなことを云うな」と御老躰は続けた、「おれは沼津二万三千石の城主だった、そもそも年十六にして遠州乾城《いぬいじょう》に初陣の功名をあげてより、続く天神の役には……」

数馬はぞっとして眼をつむった。

――暗記しちまったぞ。

おれの偽作を暗記してしまったようだ、どうする、と彼は思い、眼をつむったばかりでなく、空想的にではあるが両の耳を塞《ふさ》いだ。それはすなわち彼の罪状を挙げるに等しく、とうてい聞いている勇気はなかったのである。

――そうだ、今夜はあいつと会う約束だ、それ、あの中屋敷の男、倉持善助とだ。数馬はそのことに神経を集中しようと、けんめいになった。

「ところが無念、外《そ》れ弾丸《だま》に当って乗馬の栗毛がどうと倒れた」と御老躰は手まね身ぶりもいさましく喚きたてていた、「――ええ面倒なり、おれは倒れた栗毛をひっ摑《つか》んで、頭上たかだかとさしあげさま、群がる敵勢めがけてえいやとばかり……」

数馬は強く頭を振った。

――倉持と会う約束だ、倉持善助と、あいつはうまく手なずけた、もうこっちの思うままだ。

倉持とはもう二度も連絡をつけ、二三のことがわかった。姫たち二人を誘拐《ゆうかい》したのは、中屋敷にいる弥五郎さまと、お屋形と呼ばれる二人の策謀だという。弥五郎とは奥平大膳《だいぜん》の弟であり、お屋形とは先代の弟、つまり当大膳の叔父だということであった。

——叔父と甥《おい》が組んでなにか企んでいる。

だが姫たちを誘拐し、それを中屋敷に監禁する、ということが理解できない。奥平家には幼いけれど男子が二人いる、十二歳と七歳だそうだが、家を横領するというような陰謀なら、姫たちではなく世継ぎの男子に手をつけるべきだろう。

——そこがわからないんだ、そこが。

と数馬は思った。

「さてまた田中攻めのときよ」と彦左老は声をはりあげた、「合戦不利なりとみて御大将より退却の命令が出た、軍を退くにもっとも大切な役はしっぱらいだ、そこでおれがその役を買って出た、よく聞いておけ、おれは目算なしに買って出たのではない、古今に類なき奇略があったればこそだ、さてもそのとき……」

数馬はまたぞっとなった。

——なむあみだぶつ。

いやそうじゃない、彼は首を振った。念仏など唱えている場合じゃない、弥五郎さまとお屋形とが、なにを目的に姫を誘拐したのか、その点をさぐりださなければならない。

——倉持は知らないようだ。

今夜なにか情報を持って来るかもしれないが、あれは下っ端で、ほんの追い廻しらしいから大事なことはわかるまい。とすれば、とすれば、姫か、ちづか姫か。

——そうだ、ちづか姫に当ってみよう。

数馬がそう思ったとき、彦左衛門が天床をふるわす大音声で喚いた、「いねむりをするな数馬、眼をさませ」と御老躰は云った、「きさまおれの手柄ばなしを聞きたくはないのか」

## 八の一

姫はまず、二回のすっぽかしを責め、責めながらねだり、おねだりがいちど済むと、またすっぽかしを責めた。

「それにはわけがあるのです」二度めのおねだりを押しなだめながら数馬はしんけんな調子で囁《ささや》いた、「まあ聞いて下さい、まあちょっとこの手を、いや、うかがいたいことがあるんです。まあちょっと聞いて下さい」

姫は黙ってなにかし、数馬は「くすぐったい」と囁き声で悲鳴をあげた。

「云い訳なんかいいの」と姫は絡みついた、「来て下さればそれでいいのよ、だめ、おとなしくしなさい、ふふ、だめよ、いやっ」

「これはまじめな話なんです、ま、とにかくちょっと」

「話はあとよ」と姫が云った、「さあ、これが邪魔だわ、ふふふ、だめ、おとなしくなさいったら」

数馬が「うっ」と潰《つぶ》されるような声を出し、「重い」と囁くのが聞えて言葉が絶えた。やがて、かなりな刻《とき》が経ち、ほの暗い寝所の中の、空気のふるえが静まると、数馬が溜息《ためいき》をつき、姫のやすらかな寝息が聞え始めた。

「姫――」と数馬が囁いた、「ちょっと聞いて下さい、姫」

「ううん」と姫がいった、「なにも聞えない、少しやすませて」

数馬は長くて深い溜息をついた。

彼は倉持の話を思い返した。四日まえ、本所の伯父の家で十郎左や三十郎と会談したあと、倉持善助とおちあって話した。善助は怯《ふる》えていた。というのが、みゆき姫を誘拐したあと、本邸の若侍が一人出奔した。いつき姫のときと同様に、姫が家臣とかけおちをした。とみせる計画だったのであるが、こんどはそのほかに一人、中屋敷にいる一味の内、吉川九兵衛という者が行方不明になった。

読者諸氏はむろん承知でしょう、みゆき姫を誘拐したとき、本邸の庭で数馬が襲いかかり、気絶させたうえ、彼がその身代りになって中屋敷へいった。――吉川九兵衛としては失態でしょう、中屋敷へ帰るにはあまりに失態が大きすぎるし、また「陰謀が洩れた」とも感じたであろう、なにしろ誘拐の現場でそんなめにあったんですからね。

ところで吉川九兵衛の身代りだった数馬も中屋敷から姿を昏《くら》ましてしまった。初めはそれほど問題にもならなかったが、昨日（というのは倉持と数馬のおちあった日の前日を指すわけだが）

中屋敷の者が上野の広小路で吉川に会った。みつけた侍は弥五郎さま一味ではなかったが、吉川の出奔は知っていたので声をかけた。

――すると吉川はとびあがるほど仰天し、まっ蒼《さお》になってがたがたふるえたそうです。

と倉持が語った。

そして、ここで会ったことは内密にしてくれ、おれは仔細《しさい》あって遠国へゆき、二度と江戸へは帰らないから、と手を合わせて頼んだというのです。

それがたちまちお屋形や、弥五郎の耳にはいった。かれらが疑心をいだいたのは当然なことだろう、どうして逃げたか、なにがあったのか、敵に内通したのではないか、そういう討論がおこなわれ、他にもそんな者がいはしないかと、一味の者ぜんぶが吟味を受けた。

――そういうわけですから、当分のあいだ私を呼び出さないで下さい。

厳重に見張られているのだからと、倉持もまた「手を合わせて」懇願した。せっかく手なずけた相手だし、一味の動静を知るたった一人の人間であるが、そういう事情だとすると、呼び出すのはこっちにとっても危険である。では暫《しばら》くようすをみよう、ということで別れたのであった。

「倉持は当分のあいだ使えない」と数馬は欠伸をしながら呟いた。「とするとこの本邸からなにか抽《ひ》き出して、かれらの企みがなんであるかを、推量するよりしようがない」

「ううーん」と姫が寝返りを打った。

「姫、ちょっと起きて下さい」と数馬が囁いた、「あなたにとっても大事な、大切な話があるのです、姫、姫」

「ああーん」とちづか姫があまだるい声で云った、「またなの、ううーん、あなたってお強いのね、うれしいわあ」

「眼をさまして下さい」彼は絡みついてくるやわらかな熱い手と足を押し返しながら、姫の小さな肩を揺りたてた、「さあ眼をさまして、ちょっとでいいから話を聞いて下さい」

「い、や、よう」と姫が云った、「二度も待ちぼうけさしたんですもの、今夜はわたくしの思うとおりにするの、さあ、ねえ、これをこうして」

「だめです」数馬はじゃけんに云った、「あなたが話を聞かないなら私はもうおいとまをします」

「そんなにちづかを虐《いじ》めないで」

「お家の大事なんですぞ」

「お家なんかいいことよ、ちづかにはあなたのほかに大事なものなんてないんですもの」

「いいですか」と数馬は辛抱づよく囁いた、「このまえ姉ぎみが出奔され、このあいだはまたみゆき姫が出奔されたでしょう」

「ふふふ」姫は恍惚《こうこつ》と眼をつむったままで含み笑いをし、また手をさし伸ばした、「わたくしたち女きょうだいは、みんな男に弱いらしいのね」

「それが違うんです」彼は姫の手を押えつけた、「姉ぎみも妹ぎみも、御自分の意志で出奔したのではない、或る者の手でかどわかされたのです」

「あなたもちづかをかどわかせばいいのに」

「そうなるかもしれない、あなたも誘拐されるでしょう、しかし私にではなく、べつの人間にですよ」

姫はだるそうに眼をあき、小さな、愛らしい口で欠伸をしたが、欠伸は途中で止り、姫の眼がはっきりとみひらかれた。

「いま、なんと仰しゃって」

数馬は事情を説明した。姫は黙って聞いていたが、緊張のため、その柔軟な溶けるような軀がしだいに固くなり、美しい顔の硬ばるのが見えた。

「あらましこういうわけなんです」と数馬はなお囁いた、「発頭人はお屋形さま、弥五郎さまのお二人らしいのだが、なぜ姫ぎみたちを誘拐するのか、思い当るようなことはありませんか」

姫は黙っていて、やがて口の中で「恐ろしい」と呟いた。

「恐ろしいとはなんです」

「こわい」と云って姫は数馬にしがみついた、「ちづかを抱いて、もっと、もっと」

姫の全身は痙攣《けいれん》するようにふるえた。

## 八の二

「おちついて、おちついて」数馬はちづか姫を抱き起こし、背中を撫《な》でてやりながら、なだめるように云った、「私が付いているから大丈夫ですよ、云ってごらんなさい、なにが怖《こわ》いんですか」

姫はふるえの止るのを待っていた。

「私が付いている以上なにも恐れることはありません」数馬はまた云った、「いったいお屋形や弥五郎という人はなにを企んでいるんですか」

「それがわからないんです」

「わからないって、——ではなにが怖いというんですか」

「わかってるでしょ」と姫が云った、「わかれば怖くなんかないけれど、わからないからこそ怖いんじゃありませんか」

「わからないから怖いと云われたって、なにがわからないか私には、——ええと」数馬は一つ深呼吸をした、「ではやり直すとして、おやかたさまというのはどういう人ですか」

「中屋敷にいる人ね」

「そうです」

「わたくしよく知らないけれど、慥《たし》か父上の弟に当るんだと聞きましたわ」

「するとあなた方の叔父さまですね」

「おじさまってなあに」

「知らないんですか」

「あの方は丹波さまっていうのよ」

「あなたのお父上の弟ならあなた方にとっては叔父さま、叔父さまからみればあなた方は甥姪《おいめい》ということになるんです」

「嘘ばっかり」と姫はにらんだ、「おじだのおいめいだなんて聞いたこともないわ、こんちくしょう」

「な、——」数馬は眼をみはった、「なんですって」

「このあいだ覚えたのよ」と姫は自慢そうに云った、「御法要があって菩提寺《ぼだいじ》へゆく途中、駕籠《かご》の中から町人たちが云っているのを聞いたの、ええ、こういうのも聞いたわ、このかっ、い、い、てえぼうめ——、うまいでしょ」

数馬は首を左右に振り、片手でなにかを掻《か》き消すような動作をした。

「いいですか、姫」こう云いかけて、彼はまた首を左右に振り、溜息をついた、「話を元へ戻すとしましょう、いや」と数馬は姫に手をあげてみせた、「よけいな話はやめです、その叔父上、はわかりました、次に弥五郎さまのことを聞かせて下さい」

「あの方のなにを聞きたいの」

「まず、あなた方とどういう関係の人かということです」

「そんなむずかしいこと聞かれてもだめよ」

「むずかしいって、——ねえ姫」数馬はもういちど深呼吸をした、「家来たちが弥五郎さまと呼んでいるからには、奥平家の一族の方じゃないんですか」

「ええそう、父上の三番めの弟よ」と姫は云った、「でもそれだけのことで、わたくしたちとはどんな関係もないのよ」

「叔父と姪の関係ですよ、いや」と彼はまた片手をあげてみせた、「そこでやめ、こんちくしょうなんて云わないで下さいよ、話がちっとも進みやしない」

「はっつけ野郎」と云って姫は微笑した、「これもそのとき覚えたのよ」

数馬は両手を頭のところまであげ、それを両膝《りょうひざ》の上へばたりと落した。いかにも失望落胆といった身ぶりだったが、すぐに気を取り直し同時に屹《きっ》と坐り直した。

「まじめに聞いて下さい、これはあなた方ごきょうだいの問題ですぞ、姫」と数馬は声を励まして云った、「あなた方にとって叔父、いや、この言葉はよしましょう、つまり御一族である丹波さまや弥五郎さまが姪、いや、御一族であるあなた方を中屋敷へ誘拐《ゆうかい》する、いったいこれはどういうことだと思いますか」

「そのことはなんでもないのよ」

「なんでもない、——だって現に姉ぎみやみゆき姫が」

「なんでもないのよ、もう二人とも帰って来ているんですもの」

数馬は口をあいた、「なんですって」

「二人は帰って来たの、その代りにこずえとながをが掠《さら》われていったわ」と姫はあっさり云った、「この次にはまた亀松が掠われて、丹波さまの小三郎が来るでしょう」

「ええと、――」と云って数馬は頭を振り、ちづか姫の顔をじっとみつめた、「あなたは夢でもみているんじゃあないでしょうね」

姫は自分の膝をつねってみ、微笑しながらかぶりを振った。

「ひとつ順序を立てて話して下さい」と彼は用心ぶかく云った、「それはいったいどういうことなんです」

姫は承知して語りだした。

二年ほどまえからのことであるが、丹波さまか弥五郎さまが本邸へ来ると、本邸の若ぎみや姫ぎみを中屋敷へ伴《つ》れて帰り、その代りに自分たちの子や姫たちを本邸へよこした。

――一族間の親交を深める。

　本家の姫たちの縁組の機会を作る。

右の二カ条が目的だとされていた。

本邸には二男五女があり、丹波さまには男女六人、弥五郎さまには二男三女がある。これらが交互に、本邸と中屋敷へ往《い》ったり来たりするのだが、去年からは方法が変り、本邸の姫がいつのまにか中屋敷へゆき、代りに中屋敷の若殿が本邸へ来ている。つまり「誘拐」ということが行われだしたのであろう、——これは数馬の話によって初めて明らかになったのであるが、その姫や若ぎみたちは「誘拐」などということは少しも感じていないし、一種のわくわくする面白い遊戯くらいに思っている、というのであった。

「しかし、ちょっと待って下さいよ」と数馬が首をかしげながら遮《さえぎ》った、「たしか姉ぎみのときには、御家臣の一人と出奔された、——というように聞いた筈ですがね」

「みゆきのときは二人ですって」と姫はおっとり答えた、「わたくし姉も妹も本当に恋人ができたんだと思いましたの、だって中屋敷へ往ったり来たりするうちに、ずいぶんいろいろ世間のことを覚えたでしょう、みゆきなどはまだあんな年のくせに、びっくりするようなませたことを知っていましたわ、——いやだわこんな話、あとは云わなくてもわかるでしょ」

「よくわからないが、わかったことにして」と数馬が云った、「だからつまり、家臣の者と出奔したと思ったわけですね」

「だって誘拐なんてことわからなかったんですもの、二人が帰って来たので、出奔した家来たちとかかわりがないことがわかったのよ、まあ可笑《おか》しい、わたくしたちわかったわからない、わかったわからないって、同じことばかり繰り返しているようね」

## 八の三

数馬は考えてみた。姫の話を入念に裏返し、横からも縦からも検討し、また細分して個別に、詳しく尺を当ててみた。しかしどうにもわけがわからない、大名一族のばか殿どもの悪戯《いたずら》か、暇つぶしの悪ふざけにすぎないようだ。

——いや、そんなことはない。

数馬は空想の中で首を振った。ばか殿たちの悪ふざけにしては度が過ぎるし、みゆき姫を誘拐したときの中屋敷の家来たち、藤井や倉持らの態度は、極めてしんけんであり切迫した感じであった。

「姫はいま」と数馬は眼をあげて訊《き》いた、「私の話を聞いて、怖い、と云われましたね」

姫は頷《うなず》いた。

「もういちど訊きますが、どうして怖いなんて云ったんです」

「あなたのせいよ」と姫は答えた、「いつきさんやみゆきが誘拐された、こんどはわたくしまで誘拐されるかもしれない、なんて云ったでしょう、それで急に怖くなったのよ」

「理由はそれだけですか」

「そうらしいわ」姫はちょっと首をかしげ、なにごとか思いだそうとするように、屛風《びょうぶ》の一点を見まもっていたが、やがて確信のない口ぶりで云った、「ええ、それだけのようよ」

「ではひとつ頼まれて下さい」

「むずかしいことでなければ」

「ごく簡単なことです」数馬は唇を舐《な》めて、慎重に云った、「その、——中屋敷へいった姫たちにですね、中屋敷でどんなことをしたか、丹波さまや弥五郎さまのようすはどうだったか、それを詳しく聞きだして下さい」

「それはむずかしいわ」

「どうしてです」

「あの人たち話さないと思うの」と姫が云った、「わたくしまえに訊いたことがあるのよ、でもへんな笑い顔をするばかりで、誰も中屋敷のことは話さなかったわ」

「笑い顔をする、ふーん」彼は唸《うな》って頭を掻いた、「すると威《おど》されたとか、いやなことをされたというようなことは」

姫はかぶりを振った、「よくわからないけれど、そんなことがなかったばかりでなく、なにかたのしいことでもあったようよ、だって、いつきさんなどは、中屋敷から帰って来たら人が違ったように、温和《おとな》しくしとやかになったわ」

「あのいつき姫が」数馬は眼をそばめた、「信じられませんな、それは」

彼はいつき姫の、力士のように逞《たくま》しい軀《からだ》つきと、数馬を罵倒《ばとう》する激しい叱咤《しった》とを思いだした。姫は大きな掌で、自分の胸を叩き腹を叩き腰を叩いて、その頑健な肉躰《にくたい》を誇り器官の完熟していることを誇った。

――男は犬猫より愚昧《ぐまい》である。

容姿の美醜に眩惑《げんわく》されて、健康な子を産むという根本条件を忘れている。こんなことでは人類は滅亡するであろう、と喝破《かっぱ》した。数馬はそれを思い返すだけで、いまなおちり毛もとがぞくぞくするようであった。

「会ってみればわかるわ」とちづか姫は云った、「本当に驚くほどしとやかになったし、妹たちの世話もよくみるのよ」

「どうもわけがわからない」数馬はまた頭を振った、「現に暴力でもって誘拐されながら、それを怖がりもせず不快にも思わない、なにをされたか、どんなことがあったかと訊かれても答えないし、相撲取、――いや、男より逞しく気の荒かった姫が、そこから帰って来たらがらっと性格が変った、これではなんの答えも出やしない、どこかにからくりがあるんだ、どこかに」

そのとき襖《ふすま》の向うで「えへん」と早苗の咳《せき》をする声が聞えた。

「つまらない」とちづか姫は鼻声をだし、上半身でいやいやをした、「せっかく久しぶりで逢えたのに、話なんかで夜が経ってしまって、――あなたが悪いのよ」

「たぶんそうでしょう」数馬は立って着替えにかかりながら云った、「私は念のために中屋敷のほうをもう少し調べてみますが、あなたもどうか用心をして下さい」

「用心って、なんの用心」

「誘拐されないようにですよ、おっ寒い」彼は肌着の冷たさにふるえあがった、「あなたは、あなただけはまだ一度も誘拐されたことがない、とすると、そこになにか仔細《しさい》があるかもしれない」

「平気よ、あんな人たち」と姫は可愛らしく欠伸《あくび》をしながら云った、「丹波さまも弥五郎さまも薄のろで、ぬけていて、蚊も殺せないほどの臆病者ですもの、人並なところは欲が深いだけ、ちいづかならひょいと摘《つま》んで捨ててやるわ」

数馬の頭には、姫のその言葉が強く残った。

五橋の屋敷へ帰ったときは、空が白みはじめていた。いつもより一刻《とき》ちかくおくれている、数馬は横の塀《へい》を乗り越えて、いつものように、裏庭から自分の部屋へ忍び込んだ。いや、忍び込もうとしたのだが、そうはいかなかった。

奥平邸へでかけるときには、窓からぬけだすのだが、窓の雨戸に細工をして帰ったとき外からあけられるようにしてあった。これまでは一度も故障がなく、らくに窓からはいれたのであるが、いまその雨戸はびくとも動かない。よく調べてみると、細工をしたところはそのままなので、二度、三度、力をこめてやってみた。するとふいに、雨戸がすっとあいたので、ちから余った彼はのめって、窓框《まどがまち》へしたたか頭をぶっつけた。

「こんな時刻に誰です」と窓の向うでどなる声がした、「まあ数馬ですね」

それは紛れもなく千貝女の声であり、数馬はとびあがった。とびあがりながら打たれることを防ぐように、彼は本能的に肱《ひじ》で顔を隠した。

「こんな時刻になにをしているんです」と若い義母はたたみかけた、「まさか夜遊びに出た朝帰りではないでしょうね」

「とんでもない、めっそうもない」彼は精いっぱい首を振った、「私はその、もう、鍛錬のために、軀がなまってはいけませんからね、侍ともなると平常心が大切ですから」

「なんの鍛錬です、軀のどこを鍛錬したというんですか」

数馬の眼に奥平邸の奥殿が思いうかび、ちづか姫の熱いような躰温と、絡みつくなめらかな肌の触覚がよみがえってきた。

——軀のどこを鍛えるか。

知らねえな、と心の中で舌を出し、けれども数馬はきまじめに、早朝の駆け足で全身の鍛錬をするのだ、と答えた。

「それは感心なことですね」と若い母は皮肉な口ぶりで云った、「早朝とはなん刻からのことですか」

数馬は自分の口の手綱を引き緊めた。

## 八の四

まだ空が白みはじめたばかりなのに、その自分の部屋に千貝女がいるとすれば、もっとまえにも見に来たかもしれない。いや待て、彼女の皮肉な口ぶりから察すると、ゆうべ彼がぬけだしたすぐあとで、彼のいないことを発見した可能性もあるぞと、数馬は思った。

「昨夜は庭で明かしました」と彼は答えた。

「庭ですって」千貝女は眼を細めた、「それはどういうわけですか」

「それは申上げるまでもないと思います」

「わかりませんね」若い母は巨大な腹の下へ両手を当て、たぶっと揺りあげながら、睨《にら》みつけた、「この寒さに庭で夜を明かすなんて、気違い沙汰じゃありませんか」

彼女が追求しつつあるあいだに、数馬は巧みに突破口をみつけていた。

「ではやむを得ませんから申上げますが」と云って数馬はおごそかに声をひそめ、すらすらとなにか囁《ささや》いた、「——というわけです、おわかりですか」

「聞えませんね、えへん」千貝女は首をゆらりと振った、「聞えません、なんですか」

「祈願です」と数馬は厳粛に云った、「大御所の御病気平癒《へいゆ》を祈願したのです」

「夜明しでですか」

「霜に打たれてです」数馬は神妙に悲しげな表情をしてみせた、「こういう祈願には、苦行こそ霊験を期待し得る第一のものですから」

「そうでしょう、ふん」

千貝女は鼻を鳴らし、うさん臭そうにじろじろと数馬を見たが、わけのわからない言葉を並べられたし、庭で夜明しをしなかったという証拠もないので、つんと顔をそむけながら云った、「——おまえが急に将軍家大事に変るなんて、まるでみみずが蛇を呑んだような話ですね、ふん」

そのとき三郎太郎左衛門の声がした。

「奥、奥はおらんか」と老人はぜいぜい喉《のど》を鳴らして叫んだ、「一大事だ、奥はどこにいるか」

千貝女が答えるまえに、その部屋へ老人の駆け込んで来るのが見えた。

「ここにいたか、一大事だぞ奥」

「静かになすって下さい」と若き妻は自分の腹部を抱えた、「そんな声をお出しになって、おなかの和子《わこ》に障りでもしたら、どうしますか」

「済まん」三郎太郎左衛門は喘《あえ》いだ、「和子にも済まん、奥にも済まん、や、数馬、そこにいるのは数馬ではないか」

「お早うございます」数馬は低頭した、「なにごとですか、父上」

「おまえそこで、なにをしておる」

「祈願だそうです」と千貝女が云った、「嘘かまことかわかりませんが、夜どおし霜に殴られて、ごぎょうがれいがん寺の第一番で、きたいなものだなどと、わたくしを云いくるめたところでございます、ふん」

「れいがん寺がきたいの第一だって」三郎太郎左衛門は肩で息をしながら数馬を睨んだ、「おまえはなぜそうでたらめなことを云うのだ、また、誰がおまえを霜柱で殴ったのか、霜柱などで人間が殴れるものかどうか」

「それは母上のお聞き違いです」

「まあっ、わたしがどうしたんですって」

「私は祈願をしていたと申したのです」数馬は神妙に云った、「庭で夜を徹し、霜に身を打たれながら祈願をした、こういう苦行が霊験を期待し得る第一だと申上げたわけです」

「わたしが、だ」千貝女はせきこむとそう云うのが癖であった、「だからわたしも祈願でれいがんが第一だと」

「まあ待て、いいから待ってくれ」三郎太郎左衛門は喉をぜいぜい鳴らしながら、若い妻を抑えて数馬に云った、「霊験だの苦行だの期待だのと、漢文（?）だか経文だかわからぬようなことを云うからごたごたする、いったいなんのために祈願などをしたのか」

「そんなこと蚯蚓《みみず》と蛇ですわ」

「みみずと蛇」三郎太郎左衛門は眼を剝《む》いた。

「蚯蚓が蛇を呑んだような話だというんです」と若き妻は云った、「どうせでたらめにきまってるんですから」

「ちょっと待ってくれ、おれにちょっと息を入れさせてくれ」老人は眼をつむって、暫《しばら》く呼吸をととのえてから、「さあ」と眼をみひらいて云った、「さあなんでも云うがいい、蚯蚓と蛇の次はなんだ」

　この問答はもう少し続くのであるが、筆者がふまじめであるような印象を与えては困るので、残念ながら省略することにして、数馬が祈願の筋を述べると、三郎太郎左衛門はとびあがった。

「それだ」と老人は喚いた、「そのことだ」

「またそんなばかげた声をおだしになって」と千貝女が叱った、「おなかの和子に障ったらと、いま御注意したばかりでございましょう」

「済まん」ここでようやく元へ戻ったわけである、「和子にも済まん奥にも済まん、しかし一大事は一大事だ、数馬の祈願で思いだした、大御所さまはついに御他界とのことだ」

数馬は口をあいた。祈願をした、などという嘘に罰が当った、という気がしたのであるが、罰が当るなら自分に当る筈で、秀忠に罰の当るわけはない、とすぐに気がついて、安心した。

「いま使者があったばかりだ」と三郎太郎左衛門はせかせか云った、「すぐ登城しなければならん、支度を頼むぞ」

そして夫妻は去っていった。

数馬はほっとすると同時に、精神的にも肉躰的にも、自分がくたくたであることを悟り、縁側のほうからあがると、自分の部屋へまっすぐにはいって窓を閉め、敷いてある夜具の中へ、着たままもぐり込んでしまった。——彼はまる一日と半、死んだように眠り続けた。奥平家の不審な誘拐事件、その不審さが彼の精根を搾《しぼ》りつくしたらしい。夢の中で、数馬は引き廻され突きとばされ、吊《つ》りあげられ蹴《け》おとされ踏みつけられた。

「よせ、やめてくれ」と数馬は懇願した、「もうおれはなにもしない、そんなに踏んづけないでくれ、潰《つぶ》れてしまう」

「なにをねぼけているんだ、起きろ」と云う声がした、「起きてくれ五橋、おれだ」

数馬は悪夢から逭《のが》れようとして身をもがき、眼をさますと同時に、自分の上へのしかかっている悪夢にとびかかった。

「おいよせ」と悪夢は云った、「どうするんだ五橋、ふざけるな、眼をさませ」

数馬は五割がた眼をさまし、ついで九割まで眼をさました。彼は自分が捉《つか》まえているのが悪夢ではなく、水野十郎左衛門であることを認めた。

「なんだ十郎左か」と云って数馬は手を放した、「どうして乱暴するんだ」

「乱暴だって、おれがか」

「おれを吊りあげたり踏んづけたり」と云いかけて、数馬はすっかり眼をさまし、欠伸をしながら首を振った、「いや、なんでもない――なにか用か」

「大御所の御他界を知っているか」

「もちろん知っているさ」

「すぐ支度をしてくれ」と十郎左が云った、「御老躰のところで集まるんだ」

「御老躰」数馬はうしろ頸《くび》を掻いた、「本所でなんのために集まるんだ」

「おい、しっかりしろ」と十郎左が高い声をあげた、「大御所さま御他界によって、天下に争乱が起こるかもしれないんだぞ、御老躰はそれを案じておられる、そのためにわれわれは集まることになったんだ、話は本所へいってからだ、早く支度をしろ」

## 九の一

大久保彦左衛門は「天下の意見番」として、本格的に動きだした。

数馬は敬遠してあまり近よらず、たいてい白柄組《しらつかぐみ》の誰かから聞くだけであったが、秀忠の死後、まず老人は登城して、霊柩《れいきゅう》を担ぐのも、その周囲を護るのも、旗本直参《じきさん》から選ぶようにと進言し、外様《とざま》諸侯の参列を許してはならぬと主張した。

——幕府の基礎は安泰にみえるが、まだ東照公より僅かに三代、家光公は英明だといわれるけれども、戦塵《せんじん》の匂いも知らず、生れながらのお坊っちゃんである。

彦左老はそう云ったそうである。そのころ「お坊っちゃん」などという言葉が使われたかどうか不明だが、そう云われたとき、家光は怒って蒼《あお》くなったということだ。すると彦左老はすぐに家光の顔を指さし、それがお坊っちゃんの証拠だ、と云った。

——自分はあなたの悪口を述べたのではない、幕府の当面している問題の重大さを理解してもらいたいのだ。

こう御老躰は続けた。

家光という人物はかなり賢かったが、同時に我儘《わがまま》でもあり癇癪《かんしゃく》も強かったらしい。彦左老の発言を聞きながすことができず、色をなしてつめびらきにかかった。御前評定だから、松平信綱、酒井忠勝、土井利勝、井伊、本多その他、帷幄《いあく》の人びとがい並んでいる。その中で彦左老は家光とやりあい、家光が将軍の威光をひけらかすと、老人は家康の墨付を出して対抗した。

——東照公のお墨付なるぞ。

家光は黙り、列座の閣老は低頭した。

——上さまはすでに御覧になっているが、これは東照公の御直筆であり、大御所さまが副署をなすった墨付である。

彦左老はそれを披《ひら》いて、声さわやかに読みあげたのち、列座の人びとに掲《あ》げて見せた。そうして、知恵伊豆とまで評された松平信綱がいるにもかかわらず、外様大名どもが信用できないこと、秀忠の葬儀に当って、かれらに幕府の威力を示すべきこと、そのあとで二三の大名を「踏み潰し」たうえ、かれらの忠信をためすべきこと、などを大いに論じたてた、ということであった。

この話は水野、坂部、加賀爪の三人から聞いたのであるが、坂部三十郎はもっとも詳しく知っていて、さらに付け加えた。

「御老躰はいい機会だと思ったのでしょう、——ここではっきり云っておくが、自分は天下の意見番としてどこへでも乗込んでゆく、心得がたき事があれば豆州《ずしゅう》どのとて容赦はしない、どうかその覚悟でいるように、と云われたそうです」

「みんな温和しく聞いていたのか」

「東照公の直筆に大御所の副署とあってはね」と十郎左が云った、「将軍家でさえ黙られたんだから、知恵伊豆だって文句の付けようはないさ」

数馬は想像の中で身ぶるいをした。

――とんでもないことになった。

みんなおれのせいだ。もしも事実がばれたらどうなるだろう、そう思うと総身の毛穴が立つように感じられた。

しかし結局のところ、彦左衛門は巧みに云いなだめられ、葬送を譜代に限定することも、霊柩を旗本直参で固めることも、ついにうまく拒否されてしまった。尤《もっと》も本人は否決されたと思っていないらしく、葬儀の当日には、小具足に陣羽折を着、黒地に白く「天下之意見番」と染め出した差物を箙《えびら》に差して霊柩の脇に付き、手放しで泣きながら供をしたそうであった。

「泣きながら」と数馬は唸った、「本当に泣いたのかい」

「五橋は知らないのか」と十郎左が問い返した、「おれたちは大下馬でお見送りをしたが、五橋はいっしょではなかったのか」

数馬はまごついて云った、「それはむろん、いっしょだったさ、大下馬よりもっと先のほうだったがね、しかしあの伯父が手放しで泣いたとは知らなかったよ」

彼は奥平家の中屋敷をさぐっていたのだ。大御所秀忠の死は大変であるが、数馬がうろうろしてもなんの足しにもならない。そっちには当局者が山ほどいるので、任せておいてもまず心配はないだろう。ところが奥平家のほうはどうか、これは数馬だけしか担当者はいない。若ぎみや姫を、或るときはあちらへ、或るときはこちらへ、ときには誘拐までするというのに、当の姫たち自身でさえなにも気づかずにいる。

——中屋敷の二人の叔父がなにか企んでいる。

こうにらんでいるのは数馬ひとりである。となれば、死んでしまった大御所などより、生きている奥平家のほうが優先権を持つだろう。彼はそう思って、もっぱら中屋敷のほうにかかっていたのであった。

「近いうちにもういちど集まる筈だ」と十郎左が云った、「御老躰はどうしても、ここで外様大名どもに一と煽《あお》りくれるつもりらしい、いずれ知らせがあるだろうが、そのときはまた本所で会おう」

「いや本所ではない」と加賀爪少年が云った、「もう五六日で赤坂見附の屋敷が出来あがるよ」

「赤坂見附だって」数馬は三人を順に見た、「それはどういうことだ」

「知らないんですか、これは驚いた」と加賀爪少年が云った、「大名どもから威し取った金が四千八百余両、それで大久保さんの新しい屋敷を建てていたんですよ」

数馬は首を捻《ひね》って「そうか」と呟《つぶや》き、それから、溜息《ためいき》をついて、「男子三日会わざればなんとか云うが、世間というものは絶えまなしに動いているんだな」と云った。

それから一日おいて、二月五日が来た。つまりちづか姫を訪問する定日である。

## 九の二

夜の十時——奥平邸裏の石垣へ舟を着けるとき、数馬は一種の前兆を感じて、いつもの場所より少しずらした所へ舟を繋《つな》いだ。繋ぐといっても、碇《いかり》の角を石垣の隙間へ押込むのであるが、その辺になると汐《しお》の干満もさして強くはないので、舟を流されるような心配はなかった。

「おれの感じているこの、一種の前兆めいたものはなんだ」石垣に手をかけながら、彼は自分にそう囁きかけた、「もちろんおれは前兆や予感などは信じやしないさ、そんなものは女わらべか臆病者のたわ言にすぎない、本当にそういうものがあるなら、人間が思いがけない災難にあうなんてことはない筈だからな、そうじゃないか」

「だとすれば、この感じはなんだ」数馬は片足で石垣の隙間をさぐりながら、またそっと囁いた、「うん、正直に云えば姫のことが心配なんだな、あの晩ちづかは怖いと云ってしがみついた、あのときのちづかの声や、しがみついた軀のふるえていたことが、おれの記憶の深みに残っていて、それがいまおれの気持を不安にするのに違いない、え、そうじゃないか」

「執着あれば平常心なし、か」と彼は一段登って囁いた、「侍の心得なんてものはうまいことを考えつくものだ、つまり前兆なんかを感じるのは平常心を失っているからで、おれが姫に執着を持っているという証拠になるんだろう、へ、おせっかいなもんだ」

このように、自分の心理解剖をたのしみながら石垣を登り、植込の中へはいった。

そのとき雪が降って来た。こまかいまばらな粉雪で、数馬はそれを鼻から吸いこみ、危なくくしゃみが出そうになった。彼は二本の指を鼻の孔の下に当て、ぐっと下へ押し伸ばしながら、常夜燈のところへいった。そこへゆくと燈籠《とうろう》の光で、雪の降るのがはっきりと見え、彼は着物の衿《えり》をかき合せた。

「悪い晩に早く来すぎたな」と数馬は呟いた、「あのこまっちゃくれ（というのは侍女の早苗であろう）が来るまでに濡れてしまうぞ」

その奥庭には大きな樹立《こだち》はない、観賞用の、よく刈りこんだ植込ばかりだから、雪を除《よ》けるには犬のように植込の中へもぐらなければならない。みゆき姫のときにはそうしたが、またここでそんなまねをするのは好ましくなかった。

「うう」と数馬は身ぶるいをし、羽折の衿を引上げて頭からかぶった、「恋人に逢うという恰好じゃあねえな」

とたんに、頭の中で大鐘が撞《つ》き鳴らされた。おそろしく大きな釣鐘が、頭の内部で力いっぱい撞き鳴らされ、両方の耳が痺《しび》れ、両眼の裏で赤い火花が散り、鼻の奥で酸《す》っぱいような匂いがした。

——おれは頓死《とんし》するぞ。

数馬はそう思った。常夜燈の光が弧を描き、うしろの地面が急にさがって、軀を支えようとする彼の面前へ、地面がまっすぐに逆立って来た。

彼は気を失った。むろん頓死でないことはすぐにわかったのであるが、気を失った中で彼は悟った。おれはやられたらしい、てっぺんやられたらしい。本所の伯父のいうてっぺんではなく、肉躰上のてっぺん、すなわち頭部を誰かに殴打されたようだ。

——いつき姫だな。

あの力士のような姫だ、と彼は思った。中屋敷から帰って以来、まるで人が変ったように温和しくなったとか聞いたが、虎はやはり虎だ。温和しくなったにはそれだけの理由があるだろうし、その理由が減少してゆけばまた虎になるだろう——おや、と数馬は自分自身に意識を向けた。おれはものを考えてるぞ、どうしたことだ、気絶したままでものを考えることができるのか、それともこれは気絶から醒《さ》めていることか。いや、おれはいま殴り倒されたばかりだ、たったいま、殴打されて、倒れたばかりだ。

「すると、待てよ」数馬は呟いた、「——おれはもしかすると、死んじまって、たましいだけになって、こんなことを考えているんじゃないのか」

そのとき頭の上で声がした。

「気がついたようだな、提灯《ちようちん》をみせろ」

数馬は眼をあいたが、頭の内部で撞いた鐘の余韻が、そのまま激痛の波となって寄せ返し、その痛みのためにまた固く眼をつむった。

「町人ではないな、侍だな」と頭上の声が云った、「縛ってあるのか」

「手と足を縛りました」

「顔を見よう」

数馬はもがいた。誰かの手が肩にかかり、軀をぐいと片方へ転がされた。うしろ手に縛られている手が軀の下敷になり、ねじれて、骨が折れるかと思った。

「乱暴なことをするな」と数馬はどなった、しかし舌がよく廻らないので、それは「らんろうなころをるるな」と聞えた。

「うん、知らぬ顔だな」と上から覗《のぞ》きこんだ男が云った、「衣服、人相では盗賊とも思えないが、——誰か知っている者はないか」

まわりに五六人いるらしい。みんな「知りません」とか「存じません」などと答えるばかりだった。

「私が通りかかると、ここに倒れていたのです」と一人が云った、「奥庭のことではあり、刀を差しておりますので、大事をとって手足を縛ったうえ、お届けにまいったようなしだいです」

「それはもう聞いた」と云って、えらそうなその侍は数馬の脇へ跼《かが》んだ、「——これ、そのほうはなに者だ、なんのためにこの邸内へ忍び込んだのだ」

数馬は答弁に窮した。

——ちづか姫の恋人だとは云えない。

とんでもない。そんなことを云ったら姫との仲がめちゃめちゃになってしまうし、ことによると外聞のためだとあって、このまま闇から闇へ葬られてしまうかもしれない。こう思った数馬は、とりあえず時間を稼《かせ》ぐことにした。

「ゆめをみら」というのは夢を見たという意味である、「ゆめ」と彼は繰り返した、「ねれいらろおもららゆめをみれ、きがるいららここにいれいら、ほんろら」

「てんでわからない」と相手は云った、「まるっきりれろれろじゃないか」

「ごまかしているのかもしれませんな」

「これ」と踞んでいる侍は威嚇《いかく》した、「大名屋敷の奥庭へ忍び込んだ以上、れろれろなどで瞞着《まんちゃく》できると思うと間違いだぞ」

数馬はあんと口をあいて、舌をみせた。

「なんのまねだ」と侍が云った。

「あらまをうられれ」と数馬が云った、「しらがまららなくなっらら、ほんろら」

## 九の三

「まだ人を瞞着する気か、ふざけたやつだ」と相手は怒って立ちあがった、「夜が明けたら改めて糾明しよう、蓆小屋《むしろごや》へでも押込めておけ、見張りを怠るな」

数馬はぞっとした。嘘ではない、瞞着どころか、本当に舌が自由にならないのである。

——頭を打たれたとき、どこかに故障が起こったのだろう。

そう思うと数馬は芯《しん》から慄然《りつぜん》とし、三人の男に担いでゆかれながら、われ知らず身もがきをし、

そして、ためしに叫んでみた。

「おれははらもろの、いるはりかるや、はらもろの」数馬の眼に涙があふれ出た、「——はらもろいるはり、いるはり」

彼は絶望の呻《うめ》きをあげた。

いや、はやまるな、これは一過性のものだ、と数馬は自制した。こんなばかなことが長く続くわけはない、殴られて起こった故障が治れば、舌のほうもまた動きだすに相違ない。きさまは苦労性だぞ数馬、と彼は自分に云った。すると空想の中の数馬は、こちらに歯を見せて嘲笑《ちょうしょう》した。

——きさまはこれでおしまいだ。

と空想中の数馬は云った。

——その舌は生涯もう治りゃあしない、一生れろれろで終るんだ、れろれろ、それで姫と睦言《むつごと》が交わせるか、え、ためしにやってみろ、その舌で愛の囁きをやってみろどうだ、ためしてみる勇気があるか。

空想の中の数馬は憐《あわ》れむように、右手の人さし指を左右に振り、舌打ちをした。

——ついおとついは悪夢を見た。吊《つる》しあげられ踏んづけられ、潰されるような悪夢だ、それからここへ来たときは前兆を感じた、あれは運命がおまえに警告を発したのだ、にもかかわらずおまえは信じなかった、信じなかったばかりでなくあざ笑いさえした、ちょっちょっちょっ。

空想の中の数馬はまた舌打ちをし、いかにも気の毒そうに首を振った。

——小さいときからの大望もこれでおじゃんだ、つづめたところ、本所の伯父を御意見番に仕立てただけが、おまえの一生の仕事だった。哀れな男さ、ふん、まったくのところ哀れ憫然《びんぜん》たるもんだ。

現実の数馬は嚇《かっ》となり、空想の中の数馬にどなり返そうとして口をあけたが、慌てて思いとまり、やはり空想の中で云ってやった。

——そんなにおだてるなよ。

そのとき彼は放りだされて悲鳴をあげた。積んである蓆の上だから痛くはなかったけれども、自分自身と問答をしていて、そこまで担がれて来たことも、小屋の戸をあける音も聞えず、いきなり放りだされたから仰天したのであった。

「——やい、ら……」と叫びかけて、数馬はそのまま口をぎゅっとむすんだ。

「見張っていろと云われたが、どうする」

「必要なし」と一人が云った、「手足を縛った縄は断じて解けやしない、それだけはおれが保証する」

「しかしこの戸には鍵《かぎ》がないぜ」

「心配なし」と同じ男が云った、「縄が解けないのに鍵の有無は問題じゃあない、いって寝よう」

「慥《たし》かだろうな、もしものことがあると」

「絶対になし」と同じ男が云った、「さあいって寝よう」

かれらは出てゆき、引戸を閉めてたち去った。

数馬は苦心して半身を起こしたが、脛《すね》のところを縛られているので坐ることができず、すぐまた横に寝ころんだ。その動作で、蓆から藁屑《わらくず》が舞い立ち、それを吸いこんだため、彼は続けさまに大きなくしゃみをした。

——どうしよう。

涙と涎《よだれ》が出たけれども拭くこともできない。うっかり動くとまた藁屑を吸いそうなので、彼は注意ぶかく呼吸を止めて、口の端を蓆へこすりつけた。

——いまの男はへんにいそいでいた。

縄は決して解けない、と繰り返して請合い、いって寝ようと、しきりにみんなをせきたてていた。どうもおかしい。なにかおかしい、なにか仔細があるんじゃないか。そう思わないか、こういう場合にあれほど寝いそぎをするというのは普遍性がないだろう、そうじゃないか。

——ではどんな仔細があるんだ。

たとえば、要するにたとえばのはなしだが、みんなを追っ払って、おれを逃がすためだ、とは考えられないだろうか。つまり、縄は断じて解けないと保証したのは、「解けるように縛ってある」ということの反語。

——そうだ。

数馬はわくわくし、すぐさま縄を解きにかかった。

読者諸君、われわれはちょっと外へ出ていましょう。縄は解けやしないのです、さっきの男の言葉は反語でもなんでもない、現実そのままを云ったので、じたばたすればするほど、数馬は苦痛を高めるだけなのですから。まあこっちで一服することに致しましょう。

半刻のち、数馬は汗だくになり、死にそうに喘《あえ》ぎながら、蓆の上にのびていた。

「こん、りく、りょう」と彼は泣き声で喚いた、「かっれえぼう、はっるけやろう」

すると、うしろのほうで「なんだ」と云う声がした。

数馬には聞えなかった。彼は苦しそうに喘ぎながら、頭を殴打した人間を呪《のろ》い、手足を縛ったやつを呪い、前兆を信じなかった自分を呪い、この世界ぜんたいを呪った。

——殴ったのはいつき姫か、いやそうではあるまい。いつき姫が元の本性をあらわしたとしても、殴り倒してそのまま放って置くのはおかしい。それにまた心得のある者でなければ、あれほど巧みに不意を襲える筈はない。そうだ、これは姫ではない。仮に姫でないとすると誰だろう、そこまで考えてきて、数馬は低く唸った。

——中屋敷の連中だ。

藤井とか倉持、そうだ、倉持もいたかもしれないが、あの連中のやったしごとだ。とすると、目的は云うまでもなくちづか姫だろう。それに相違ない。かれらは姫を誘拐しに来たのだ。そこへおれがあらわれたので、——しまった。それに相違ない、ちづか姫は誘拐された。しかも他の姫とは違って、ちづか姫には危険が感じられる。理由ははっきりしないけれども、ちづか姫の誘拐には、他の姫たちとはべつの意味があるようだ。数馬は身悶《みもだ》えをし、手と足にくいいる縄の痛さで、大きく呻き声をあげた。

「おい、どうした、酔ってるのか」

と云う声が聞えた、「おまえも酔ってるのか、へへ、おまえも若夫婦に押し出されたくちだな、そうだろう、酒はあるか」

## 九の四

まっくら闇の中で、蓆の音をさせながら、誰かがこっちへ近よって来た。数馬は息をひそめた。

「おい、どこにいる」と相手は呼びかけた、「おれはな、この屋敷の浜田徳平という者の居候でな、なに、もうまもなくこの奥平家に仕官する筈だが、うーい、いまのところは居候という、表向きは浜田の親族というかたちになっているが、おい、酒があったら飲ませてくれ」

「ろんなもろは、らい」と数馬が答えた。

「ほう、ひどく酔ってるな」と相手は酒臭いおくびをして、羨《うらや》ましそうに云った、「一升もやったか、ろれつが廻らんじゃないか」

「のんらんりゃない」と数馬が云った、「そえより、りょっとてをかいてるれ」

「これあずぶろくだ」と相手は云った、「なんだか云うことがさっぱりわからない、酒はあるのかないのか」

「ない」と数馬が答えた。

「はっきり云うな、さみしくなるじゃないか、え」相手はもっと近よった、「おまえも知ってのとおり、浜田はいい人間だ、おれを推挙してくれると云うし、家に置いて面倒もみてくれるし、酒も飲ましてくれる、この大田原禅馬としては文句の付けようはないんだ、が、茨《いばら》に棘《とげ》、魚に骨、猫に爪、ほかに、——まあいい、浜田ほどのいい人間にして、あんな棘、じゃあない女房があるということは、大田原禅馬としても訝《いぶか》しい限りだ」

「第一にあの女房はけちだ」と相手はすぐに続けた、「浜田のいるところではちやほやするが、いなくなるとたちまち面相が変る、いまにも嚙《か》みつきそうな眼つきになり、鼻あらしを吹く、本当だぞ、怒った猫のように、おれを見るとふうっと鼻嵐を吹くんだ。それからまたふしぎな物を食わせる、昨日のことだったがね、なんと云ったらいいか、こう、その、ぷわぷわした物で、嚙んでも嚙んでも嚙みきれないし、てんで味わいというものがないんだ、云ってみればちょうど……ちょうどその、いや、なんと云いようもない、およそ人間に喰《た》べられる物であれに比較できるような物をおれは知らない、そこでさ、これはどういう食物であるかと訊《き》いた、訊くはいっときの恥というからな、するとあの女房は斜交《はすか》いに天床《てんじょう》を見ながら、ええと、そう、なんとか云ったけよ、す、すて、すけ……けて、いやだめだ、覚えているわけがない、あんな奇体な名まえを覚えられるわけがない、本当に酒はないのかね」

「ない」と数馬は答えた。

「あいそのない男だ」と云って相手はまたおくびをした、「うん、浜田は相当な人物だ、それはおまえも知っているだろうが、それは浜田徳平という属性においての人物で、人間、いや男としてはまことに無力な哀れ悲しむべき存在だ、なにしろおまえてんで女房に頭があがらない、男は概してそういうものだろう、ほかのことはどっちでもいいが、夜なかになるとおまえ大変だ、うん、そうだな、聞いているとちょうど、猿廻しが猿に芸をしこんでいるといったあんばいかな、ねる眼もねずにああしろのこうしろのと注文をつける。待ったなし、休みなしに次から次と注文をつけるんだ、いやだなんぞと云ってみろ、――うん、それは浜田もときには休ませろぐらいなことは云うさ、するとおまえ、いや、よそう、これを話すほどの勇猛心は、さすがにこの大田原禅馬も持ち合せてはいない」

「そこで夜になると、この蓆小屋へ難を避けるというわけだ」と相手はさらに続けた、「これも仕官するまでの辛抱だが、居候としては辛いところさ、わかるだろう、おい、正直のところ酒はないのか」

数馬はけんめいに、酒はいつか都合するから手足の縄を解いてくれ、と云った。それこそ全神経を集注して云ったのであるが、相手には通じなかった。

「これはてんで骨折り損だ」と相手は欠伸《あくび》をした、「こんなことなら寝ているほうがよかった、おれはつまるところろばかをみたわけさ、まあしようがあるまい、もう一と眠りするとしようか」

数馬は待ってくれと呼びかけた。だが相手は蓆をがさがさいわせて向うへゆき、「藁の蓆は浜田の女房の敷いてくれる蒲団より温かい」などと呟いたと思うと、まもなく大きな鼾《いびき》をかいて眠ってしまった。

——勝手にしろ。

数馬は心の中で罵倒した。なにが「さすが大田原禅馬」だ、酒っくらいの、居候の、その、その、……えっ、大田原禅馬、大田原。はて、どこかで聞いたような名前だぞ。数馬は空想の中で坐り直した。それはいいが、思考をその点に集注するうちに、精神的にも肉躰的にも疲れきっていた彼は、こらえ性もなく眠ってしまった。

数馬はその小屋に閉じこめられたまま、五日をすごした。日に二回、足軽らしい男が食事を持って来る。味噌を塗った握りめし二つに、なまぬるい湯だけで、その男が食わせたり飲ませたり、生理的作用も手伝ってくれるが、縄には決して手を触れなかった。

——ちづか姫は無事か。

それがなにより気懸りだったし、幾たびも問いかけてみたが、相変らず舌が自由にならないため、意志を通ずることができなかった。

大田原禅馬は夜が更けるとやって来る。酔っているうえに、冷酒を徳利《とっくり》で持って来て勝手なことを云いながら飲み、べろべろに酔って寝てしまうが、朝になると、暗いうちに帰ってゆくのであった。——大田原は来るたびに、数馬がまた泥酔しているものと思い、そのことについて驚いたり、羨望《せんぼう》の意を表したりした。これらの問答には興味ふかいものがあるけれども、物語の先をいそぐために割愛するとして、三日めの夜に移るとしましょう。

「これはおりょりょいた」と禅馬がくら闇の中で云った、「おりょりょ、冗談じゃない、おれにもおまえの口がうつったらしいぞ、えい、おりょりょ、……おりょりょいらろ、いや嘘だ、そんな筈はない、えい」

大田原禅馬は自分に気合をかけ、暫くのあいだ神仏に念じていたが、やがて二つ三つ深呼吸をしてから、用心ぶかく数馬に訊いた、「ためしに訊くんだが」と禅馬はゆっくりと云った、「おまえ今夜も酒はないか」

数馬は返辞をしなかった。

「おりょりょ、——おど、ろい、たことに、おれの持って来た酒はもうなくなっちまった」と禅馬はみれんがましく続けた、「きっとあのくそ女房がへずったんだろう、もうちっと飲みたいんだが、おまえ残っていないか」

「うう」と数馬が答えた、「あゆよ」

「ある、酒があるのか」

「うう」数馬は蓆の音をさせた、「ここや」

どれと云って、大田原が進み寄り、数馬は縛られている手首を触らせた。

## 九の五

半刻《とき》ほどのち、——暗くした提灯《ちょうちん》の脇で、大田原禅馬が数馬と問答をしていた。問答といっても口をきくのは大田原だけ、数馬は大田原の持って来た矢立と紙で、もっぱら筆談をするよりしようがなかった。

「だいたいのいきさつはこれでわかった」と大田原が云った、「念のために訊いておくが、大久保彦左衛門どのの甥御《おいご》だということに、間違いはないでしょうな」

数馬は金打《きんちょう》の手まねをしてみせた。

「疑うわけではないが」と禅馬は幾分か疑わしそうな眼つきをした、「酒があると云って縛られた手首を摑《つか》まされたわけですからな、私も助勢をするとなれば、仕官のはなしを賭《か》けなければならない、そうでしょう」

数馬はまた金打のまねをしてみせた。

「そこで問題は――」大田原は改めて、数馬の書いたものをひろげた、「まずちづか姫の安否を慥《たし》かめること、これはぞうさもないだろう、次に、白柄組《しらつかぐみ》の水野十郎左衛門に知らせて、ひそかにここへ呼び寄せること、――邸内の者に知れざるよう、というのはむずかしいですな、これはちょっと困難でしょう」

数馬は紙を取って、「かれらは大丈夫やる、心配はない」と書いて示した。

大田原は懐疑的で、穴になっている右の眼の上を、指先でそっと撫《な》でた。その眼は潰《つぶ》れているらしい、数馬の記憶のどこかに、その潰れた眼の印象が残っているようであった。

――大田原禅馬、潰れた右の眼。

はてどこで会ったろう、慥かに会ったことがある筈だが、そう思っていると、大田原はようやく決心したとみえ、よろしいやってみよう、と頷《うなず》いた。数馬はまた筆を取り、手足を元のように縛ってくれ、但し痛くないように、と書いてみせた。

「縛るって」禅馬は云った、「だってそれじゃあ不自由だろうし、縄も切ってしまいましたよ」

縛ってあるように見せればいいのだ、と数馬は書いた。

彼はあの晩の侍、つまり「蓆小屋《むしろごや》へ押込めておけ」と命じた侍に不審をいだいた。夜が明けたら吟味をすると云いながら、三日のあいだ顔を見せず、ほかに責任者のような者もあらわれない。もちろん忘れる道理はないから、そこになにか臭いものが感じられる。

——たとえば。

そうさ、たとえば、彼が中屋敷の同類という場合。また、倉持善助がおれのことを話した場合など、かれらはこの本邸の者におれを突き出しはしないだろう。おれを吟味にかければ、理由不明の「誘拐《ゆうかい》」がばれるからだ。

——慥かにあの侍は臭い。

大田原禅馬が数馬の手足を縛り、横になって鼾《いびき》をかき始めてからも、数馬はその点について詳しく検討してみた。反証もいろいろ考えられるが、結果としては、中屋敷の同類とみるのが妥当だと思った。いちおうそうきめておいて、相手の出かたを待とう、こう考えていたとき、小屋の外に人の足音がし、引戸の隙間から灯の光が見えた。

数馬は息を詰めた。

「あけろ」とひそめた声が聞えた、「音を立てるな、静かにやれ」

数馬は大田原を呼び起こそうとした。引戸が静かにあけられ、禅馬の鼾が止った。引戸のあく音で眼がさめたのだろう、呼びかけようとしたがもうまにあわない。数馬は矢立と紙の上へ寝返りを打ち、わざとねぼけたような声を出した。

「おまえは外で待っていろ」と云うのが聞えた、「番の者が来たら知らせるんだぞ、提灯をこっちへよこせ」

このあいだの侍だ、と数馬は思った。声ではっきりわかる、いままで彼のことを考えていたのに、その当人があらわれるというのはふしぎな偶然だ。よし、どうするかやってみろ、数馬は全身に力の漲《みなぎ》るのを感じた。

「こわこわ」という娘の声がした、「暴れないかしら、大丈夫ね、藤井さん」

数馬は胆を冷やした。

――早苗ではないか。

その声はちづか姫の侍女、あのこまっちゃくれの早苗に紛れのないものであった。

「縛ってあるから大丈夫だ」と侍のほうが云った、「しかし待て、念のためにあらためてみよう」

侍は提灯をその女に渡し、近よって来て、数馬の手と足をしらべた。縛ってある縄を引かれ、数馬は「ここぞ天目山」と思ったが、それと同時に、えい、と脾腹《ひばら》に当て身をくらってきれいに気絶してしまった。

「――おい、おい五橋」

誰かが数馬を呼んでいた。

いま当て身をくらって気絶したばかりである、たったいまのことだ。とすると、これはまた空想の中のおれ自身だな、と思って数馬はうんざりした。

「おい、しっかりしろ」とその声が云った、「もう息を吹き返しているんだぞ」

「うるさい」と数馬はやり返した、「いまはおまえと問答なんかしたくない、――お、お」

数馬は自分の声に吃驚《びっくり》し、おそるおそる眼をあいた。

「夢かな」と彼は呟《つぶや》いた、「おれはいまものを云ったようだが」

「あんたはものを云ったよ」とすぐ脇で声がした、「さあ、気を慥かに持ってくれ、いそいで相談しなければならないんだ。私は太田原禅馬だがわかりますか」

「おれは口がきけるぞ」と数馬ははね起きて云った、「口がきけるぞ、あいうえお、かきくけこ、たち、――太田原禅馬、なんでも自由に云えるぞ、おお」

「咆《ほ》えてはだめだ」と太田原は数馬の口をぴたっと手で塞《ふさ》いだ、「よいかな、縄に細工がしてあったので、かれらはなにかあると疑った、私は蓆の蔭《かげ》で聞いていたのだが、今夜の夜半にあなたをよそへ移すつもりらしい」

「手を放してくれ」と数馬が云った、「もう咆えないから大丈夫だ」

大田原は手を放した。

「女はどうした」と数馬が訊いた、「なんのために女が来たんだ」

「五橋さんの首、いや顔実検ですよ。ちょっ、ちょっと」大田原は手をあげて、じっと耳をすました、「しまった、誰か来るようです」

数馬は自由になっている手足を見、「縄を――」と云いかけた。しかしそのときすでに、この小屋の外へ足音が近づいて来た。

九の六

数馬は大田原のほうを見た。

「どうします」と禅馬が囁《ささや》いた。

「おれと組打ちだ」数馬は相手にとびかかった、「おれを組み伏せろ」

「それからどうします」

「運だめしだ」と数馬が囁いた、「構わず本気でかかれ、それから白柄組の十郎左を忘れるな」

「どう云いましょう」

二人は取組みあい、転げまわり、そこへ入口の引戸があいて、提灯が見えた。

「なんと云います」大田原がまた囁いた、「白柄組への伝言は、ここへ来たと云うんですか」

「わからない」と数馬が転がりながら答えた、「おれがどうなるかが問題だ、おい、もっと本気になってやれ」

「どうした」と戸口で叫ぶ声がした。

「こいつがいま」と大田原が喚き、数馬の首を絞めた、「おい、白柄組へどう云うんだ」

「苦しい」と云って数馬は相手をはね返し、馬乗りになった、「あったままを話せ、おれが伴《つ》れ出されるとすれば」

「なにをしている」と戸口で喚いた、「きさまはなに者だ」

「痛い」と大田原が叫んだ、「そこは急所だ、とすれば、どこだ」

「急所は、中屋敷だ」

「いや、急所はいまおれの」大田原は数馬を組み敷いた、「いやそうじゃない、あんたが伴れてゆかれる場所だ」

「だからそれは急所、じゃあない」数馬は相手の衿《えり》を摑み、ごろっと転がった、「たぶん中屋敷だが、慥かではない」

「手を貸してやれ」戸口でどなる声がした、「早くしろ、夜が明けるぞ」

誰かが近よって来、提灯の光が二人を照らした。もう問答はできない、数馬は力を抜いてそこへのび、がっちりと、大田原が押えつけた。

「そのまま、そのまま」と近よった男が云った、「いま縄を掛けるから、そのまま押えていてくれ」

「こいつ、逃げだそうとしましてな」と大田原が荒い息をしながら云った、「表を通りかかると中で音がしましたので、覗《のぞ》いてみるとそういう始末です、ええ、そこでなにごとかは知らんがお世話になっているからだですから、とりあえずお役に立とうと思いまして、うっ、こら動くな」

大田原は力いっぱいに数馬を押えつけ、男は足から順に、きりきりと数馬へ縄を掛けた。提灯を持った侍は、数馬が縛りあげられたのを認めてから、大田原の立ちあがるのを、訝《いぶか》しそうに見た。

「そこもとは誰だ」とその侍が訊いた、「当家では見ない顔のようだが」

「そのことなんですが、私は大田原禅馬と申す兵法家でして」と大田原は威厳をつくろって云った、「古宝蔵院源流という棒術をもって諸国を修業ちゅう、御当家の浜田徳平どのが遠い血縁であったという、まことに奇遇なことが判明いたしまして、浜田どのが云われますには、折もあれば御当家へ推挙しようと申されますので」

数馬は（縛られたままで）あっと眼をみはった。

――古宝蔵院源流、棒術。

そうかそうか、あの男か。数馬の記憶の底のほうから、水溜《みずたま》りのある釆女ヶ原と、引廻した幕張りと、右の眼の潰れた男と、そしてその男に取られた二十金とが、しだいにはっきりと思いうかんできた。

――これはふしぎだ。

話が元へ戻った。あのとき試合に負けたのは、禅馬が強かったのではなく、見物の群衆の中にちづか姫を認め、その姿の美しさにぼっとなったためであった。

——二十両損をしたが、姫という一生の伴侶《はんりょ》をみつける機会になった。

謙遜《けんそん》に云えば、大田原禅馬は自分たちにとって恩人だったのだ、と数馬は思った。それにしても、この恩人は少しこころぼそい。いま対談しているのは、このあいだ数馬に当て身をくわした藤井という侍らしいが、なんとか源流の棒術などという看板を掲げながら、大田原の態度や言葉つきは軽薄で、卑屈なほどおどおどしてい、うっかりすると、数馬を売りかねないようにさえ思えた。

「わかった」と藤井が云った、「いずれ浜田のほうへ挨拶するが、ここはこれで引取ってもらおう」

「はあ、そういうことなら、これで」

「念のために云っておくが」と藤井は凄《すご》みをきかせるように声をひそめた、「この場の出来事は藩の秘事ゆえ、なんびとにも他言をせぬように、よろしいか」

大田原はかしこまった調子で承知のむねを答え、幾たびも辞儀をしながら去っていった。

「舟は大丈夫か」と藤井は脇へ向いて訊いた、「まだまにあうだろう、伝内を呼んでまいれ」

数馬を縛った男が走ってゆき、藤井という侍は数馬の顔へ提灯を近よせた。それは数馬にもわかったが、藤井というのは四十がらみの痩《や》せた男で、顔は美男といいたいほどすっきりしてい、昏などは娘のようにみずみずしく赤かった。

「おまえは」と藤井が云った、「自分がこれからどうなるか、およそ察しているだろうな」

「ああ、あ」と不明瞭な声を出して、数馬は首を振った、「うう、うっ」

「頭を打つのが強すぎたらしいな」と云って藤井は微笑した、「頭を強く打つと、いろいろと故障を起こすことがあるようだが、舌が動かなくなるとは知らなかった、――耳のほうは聞えるのか」

数馬は大きくこくりと頷いてみせた。なるべく無害で邪気のない印象を与えるように、――だが反応はなく、藤井はまた冷酷に微笑した。

「おまえは図に乗り過ぎた」と藤井は云った、「この屋敷の者には眼も耳もないと思ったのだろう、だがそれも終りだ、図に乗ったばかりでなく、おまえは自分と関係もないことにまで手を出そうとした、ものにはほどということがある、おまえはそれを無視したのだ」

「ええ、ええ」数馬は首を振った、「あえ、あう、あう」

「自分の失敗は自分で償うがいい」と藤井はまた云った、「これはおまえ自身が求めた罰だぞ」

若侍が二人はいって来た。

藤井というのは中屋敷にもいたな。二人の若侍に担いでゆかれながら、数馬は胸の中でそう呟いた。いつき姫、いやみゆき姫だったかな、あのとき姫を誘拐していった中に、たしか同姓の者がいたように覚えている。するとこいつはその兄弟かなにかかもしれないぞ、――だが、おれをどうしようというのだ。数馬は自分がおじけづいているのに気がついた。

## 十の一

まっ暗で、寒くて、腹がへっている。

石で造った牢舎《ろうや》ではないかと疑いたくなるほど、暗くて寒くて、頑丈な座敷だった。本邸から運び出されるとき、猿轡《さるぐつわ》を嚙《か》まされ眼隠しをされたが、堀を舟で来た時間で計ると、汐留橋《しおどめばし》の中屋敷だという、およその見当がついた。それならしめたものだ、と彼は思った。大原田、じゃあない大田原禅馬にそう云ってあるし、うまくゆけばちづか姫を救い出すことさえできるかもしれない。

——なにしろ旗本白柄組がうしろ楯《だて》なんだからな。

うまくゆけばではない、姫を救い出すことが第一の使命だ。白柄組に知らせれば、十郎左は全員を集めて殺到して来るだろう。但し、禅馬が知らせにゆくとすればだが、あのときのようすでは、あまり信用できないかもしれない。

——そうだとも、あのぺてん師は。

空想の彼自身がまたでしゃばろうとしたので、数馬はその口を（空想の中で）ぴたっと手で塞いだ。

「ここへ押込められてから幾日だろう」と数馬は声に出して呟いた、「眠った回数から考えると三日くらいにはなるか、一日に水を一杯と握りめし一個、これが五回か六回くらいあった、たぶん一日に一回だと思うが、それなら五日か六日になる筈だ、一日二回とすると二日半……どっちだろう、こんなにまっ暗で寒くって、いつも腹ぺこでいては日の経つのも見当がつきやあしねえ」

「見当もつきやあしねえ」と彼は喚いた、「おれはそろそろ怒りだすぞ」

彼の声はぐわあんと反響した。本当に、石で造った牢舎のような、空虚で非人間的な反響だった。

もちろん武家屋敷に牢舎などはない。武庫かなにかに使った土蔵とみえるが、窓もなにもなく、床は板張りだし、戸口は観音開きで網戸があり、鍵《かぎ》が掛るようになっている。その鍵がまたばかげて厳重な物らしく、あけたてのたびにやかましい鎖の音がし、鍵の外れるときは鉄炮《てっぽう》でも射《う》つような音がした。

数馬は縛られてはいなかった。縛る必要もないほど、ここは監禁に適しているのだろう。薄っぺらな夜具が一枚に木の枕、——といっても丸太を一尺ほどに切ったものだが、とにかく枕に使える物と、御虎子《おまる》が与えられた。

藤井の言葉では、すぐにも暗殺するかと思われたが、御虎子まで付けるようでは、まず当分は殺される心配もなさそうである。どうしてだろう、なにか都合の悪いことでもあるのか、それともまだ時期が来ないのか。いろいろ推測してみたけれども、むろんこれぞという理由はつかめなかった。

「おれはばか者だ」と数馬は急に手の甲で自分のこめかみを叩いた、「よっぽどおれはどうかしているぞ、そうさ、なにをぼんやり坐ってるんだ、禅坊主の座禅じゃああるまいし、ただ安閑と坐って待つことがあるか、なにかしたらどうだなにか、この建物が鉄壁にもせよ、人間が造ったものなら人間が毀《こわ》せないことはないだろう」

彼は口をつぐんだ。

やかましい鎖の音がし、続いてびーんと、小銃でも射ったような、錠前の外れる大きな音がした。観音開きがあいて、けちくさい光がさし込み、網戸が引きあけられた。けちくさい光といっても燈火ではなく、天然の昼間光線であるが、幾曲りも曲ったおこぼれのように、うすぼんやりとした冷たい仄明《ほのあか》りでしかなかった。

いつも三人ではいって来るのに、そのときはどうしたことか一人で、皿に握りめし一つと、茶碗一杯の水を持っていたが、初めて見る顔だし、まだ元服したばかりくらいの、殆んど少年のような若侍だった。

「失礼ですが」とその若侍が囁いた、「あなたは五橋数馬さんですね」

「そうだ」と数馬は答えた。

「兄から伝言を頼まれました」と云って若侍は一口《ひとふり》の短刀を取り出し、音のしないようにそこへ置いた、「――お助けしようにも手が出ません、残念ですがいざというときはこれで、と申しておりました」

数馬は短刀を見て云った、「というのは、いざというときこれで自殺しろということか」

「それは思案しだいと申しました」

「とすると、近いうちだな」

「私は知りません」

「兄というのは誰だ」と数馬が訊《き》いた。

若侍は持って来た物を置き、あいている皿と茶碗を取って立ちあがった。

「待て」と数馬が云った。

「そこに人がいます」若侍は手を振り、その手で戸口を指さした、「声を立てると気づかれます。どうぞお静かに」

「兄の名はなんという」

だが若侍は答えずに、すばやく戸口から出ていった。網戸が閉り、観音開きが閉り、錠前と鎖の音がした。数馬は舌打ちをし、手さぐりで短刀を取った。

「――兄とは、誰だ」

ばかだな、と頭の中で声がした。倉持じゃないか、倉持善助だ、忘れたのか。

「ふん、あの臆病者か」と彼は鼻を鳴らした、「忘れやしないが、あんな小心者は考えもしなかった、おまけに、……なんだこれは、助ける手だてがないから、いざというときは自殺しろ、ふん、ああいう小心者の考えはきまっている、なにか困難なことにぶっつかると、それを打開しようとはしないで、すぐに躰《たい》を躱《かわ》すか、躱しきれないと自滅することを思う、くそ……おれをそんな臆病者だと思うのか」

彼はくら闇の中で唇をひきむすんだ。

いま倉持を罵《ののし》ったが、じつを云うとそれは彼自身を罵ったのだ。彼は恐れと怯《おび》えをからだじゅうに感じ、殆んど息苦しくさえなったのだ。——数馬はこうして闇の中で坐っているだけだが、倉持は一味の者といっしょにいるので、事態がどうなるかよくわかる筈だ。小心は小心だろうが、事態を知っていることは事実だ。

「えぇーと」数馬は闇の中で首をかしげた、「それはそれとして、いやそれなればこそ、一刻も早くここから脱出するくふうをしなければなるまいが、さて、どうするか」

数馬は気をしずめて考えだした。

腹がへってはいい思案はうかばない。彼は握りめしをかじり、水を啜《すす》りながら考えた。どのくらい時間が経ったろうか、彼はふと、床板の一部に隙間があって、風が吹きあげるため、そこへ近よらないようにしていることを思いだした。

「どこかで聞いたことがある」と数馬は仔細《しさい》らしく云った、「土蔵へ忍び込むには、土台を掘って床下から入る」

それが一つの手段だとすれば、それを逆にやれば外へ出られるわけだ。わけとすればな、と彼はその案にせせら笑った。そんなに簡単にやれるとしたら、あの悪党どもが放っておきはしない。手枷《てかせ》、足枷、雁字《がんじ》搦《がら》めに縛りあげる筈だ。だめだね、そんな考えは三歳の童児だって受付けやしないよ。……そうか、本当にだめか。やってみもしないでだめだときめるのは、自分の無知と無力を認めることだぞ。いいとも、それなら倉持の云うとおり、その短刀でうまく死ぬことでも考えるんだな。ちぇっ、きさまのほうが倉持よりよっぽど臆病な小心者だぞ。

空想の中の自分に悪罵《あくば》されながら、彼は手さぐりで、床板に隙間のあるところを捜し始めた。

## 十の二

隙間はすぐにみつかった。だが突破口はそこではなかった。短刀で隙間の片方の床板を削り、さぐってみると下は石だったのだ。数馬はがっかりしたが、「石が敷いてある」という事実を考えてみた。

作者はべつに建築学の素養があるわけではない。数馬も同様だと思うが、床板のすぐ下に石が敷いてあるということは、そこが「床下でない」証拠だぐらいは見当がつく筈である。床板の下が床下でない、とするとどういうことになるか、……数馬は胸がどきんとなるのを感じた。彼は持っている短刀の柄頭《つかがしら》のほうで、床板を隅のほうから順に叩いていった。そのころ諸侯の邸宅には、万一の場合に備えて、一種の抜け穴が設けてあった。それは藩主やその妻妾《さいしょう》子女を逃がすため、ごく少数の側近しか知らないし、容易には発見できないような仕組になっているのが一般の例で、数馬はいま、その「抜け穴」の上にいる、と思ったのであった。……彼の直感は当ったらしい。半刻ばかりかかって叩き廻るうちに、戸口から見て右方、壁に近い床板が空洞のような音を立てた。数馬の胸がまえよりも大きくどきんとし、彼は床板へ耳を着けるようにして、入念に幾たびも叩いてみた。

「用心しろ」と数馬は呟いた、「こうなってみると、おれの頭もまんざらではない、と云いたいところだろうが、ものごとがそんなに都合よくいくもんじゃない。こういうものはえてしてわる賢く出来ているものだ、ここだなと思わせて本当はそっちだったりする、誹謗《ひぼう》するわけではないが、こういう仕事を計画するやつほど信用のおけない人間はあったもんじゃない、そうだ」

「そうだ」と彼は自分に云った、「これは偽物に相違ない、おれを一杯くわせようと思ってもだめだ、これが抜け穴だなどとは、おれは断じて信用しないぞ」

数馬は嘲笑《ちょうしょう》した。云うまでもなくその「抜け穴」らしい偽物に対してだが、にもかかわらず、一と息いれるまも惜しいように、彼はその偽物に向ってけんめいに挑みかかった。

作者はもういちど告白するが、この種の仕掛がどんなふうになっているのか知らない。古い記録などには奇想天外なからくりや、人工では不可能だと思われるものまで、多くの機構がまことしやかに書いてある。また、現代においても皇居のほうは知らず、首相官邸などにはこの種の設備があるもようで、これを思うに、権力者ともなるとじつに枕を高く寝ることができないもののようである。――こう云っているうちに、数馬の手の下で「ことん」という音がし、同時に床板の一枚がするっと動いた。どうして床板が動いたか、明細なことはわからないが、その板が動くとすぐに、ことんことんと幾つかの音がし、木のきしみが起こり、次に「がたん」と大きく、楔《くさび》でも抜けるような音と、重量のある地響きが聞えた。

「ほんものだ」と数馬が云った、「こいつは本物らしいぞ」

するとそのとき、いま大きな音のしたところから、どうといって突風が吹きあげ、数馬は自分が吹きとばされるかと思って慌てて脇のほうへ身を伏せた。

まっくら闇だからなにがどうなったのかてんでわからない。突風が吹きあげると同時に、下のほうで奔流を切って放したような、すさまじい水音が聞えた。

「そうか、堀だな」数馬は身を起こした、「水門があって堀の水を注入し、そこから堀へ脱出する仕掛だろう、——この床板は嵌込《はめこ》みになっていて、一枚を動かすと連動してゆき、最後の楔が錘《おもり》を外して、水門を自動的にあけるんだ」

とすれば下へおりる口がある筈だ。

数馬は手さぐりで、風の吹きあげたところをしらべてみた。案の定、そこには三尺四方くらいの穴が出来てい、足を伸ばしてみると、下は階段のようになっているのがわかった。

「まんざらでもないな」と彼は両手を擦《す》り合せた、「まんざらでもないさ、これでこのいまいましい牢舎ともおさらばだ」

数馬は階段をおりようとした。

そのとき、戸口で物音が起こり、観音開きをあける鎖の音が聞え、とたんに数馬はとびあがって、足さぐりに戸口の脇へいった。

——姫をどうする。

心の奥でそういう声がしたのだ。

これで自分は助かったと思ったとき、ちづか姫のことに気がついた。他の姫たちの場合とは、どこか事情が違うようである。ちづか姫だけはこれまで一度も伴れ出されなかったし、初めてわかったのだが、侍女の早苗が、一味の手先だったということに、なにか意味がありそうに感じられた。

——脱出するなら姫もいっしょだ。

数馬はとっさにそう決心した。

「いや、そんなことはない」観音開きがあくと共に、外から話し声が聞えて来た、「ここには例の者を押込めてあるが、そんな物に手を出せる筈はない」

「いや、合図の鈴が鳴ったのだ」とべつの声が云った、「ここの仕掛が動けば御錠口の鈴が鳴る、仕掛が動かぬ限り合図の鈴が鳴るようなことはないのだ」

数馬は網戸の脇へゆき、ぴったりと壁に貼《は》りついた。

外は夜とみえ、まず提灯の光が見え、網戸があくと三人の侍がはいって来た。かれらは提灯をかざして内部を見まわしたが、すぐに床板の外れている部分をみつけ、叫び声をあげながらそちらへ駆けつけた。

「仕掛があいている」

「逃げたか」

「いやわからない」と一人が云った、「注水しただけでは出られない筈だ」

「ではまだ下にいるな」

「いってみよう、ゆだんするな」

このあいだに、数馬は戸口の外を見、誰もいないのを見ると、三人が床下へおりてゆくのを見さだめてから、すばやく外へぬけだした。

——この戸を閉めてやろうか。

そう思ったが、このままのほうがいいと考え直した。こうしておけば、かれらは自分がここから出たとは知らず、床下の水をくぐって逃げたと思うだろう。そこでこっちは楽に行動することができる、と彼は思った。

「さあこっちのものだぞ」と数馬は走りながら呟いた、「まず倉持を捉《つか》まえるとしよう、ここの勝手は知ってるんだ」

## 十の三

倉持善助はだらしなく口をあけ、瞼《まぶた》から眼球がとび出すかと思われるような顔をして、そうして全身でがたがたふるえだした。——数馬は足袋の泥をまねだけはたいて、玄関へあがった。狭い住居で、四帖半《じょう》の玄関部屋の次に六帖、その次に同じ六帖があり、それが主人の居間と客間を兼ねているらしい。玄関の次の六帖で妻女が幼い二人の子供に食事をさせているのが、縁側を通るときに見えた。

「どうしたんです」倉持は行燈《あんどん》を持って来て置きながら、おどおどと声をひそめて訊いた、「どうしてここへ」

「おちつけ」数馬は客間へはいって坐りながら云った、「いまにも呼出しが来るだろうが、おれがここにいることは云うなよ」

「それはもちろんですが、しかし」

「なにも訊くな」と数馬は遮《さえぎ》った、「おれが掠《とら》われて来た仔細は知っているだろうな」

倉持はいそいで二度、頷いた。

「よし、——それで、姫は無事か」

「姫といいますと」

「とぼけるな、ちづか姫だ」

倉持は強く首を振った、「知りません、姫がどうされたのですか」

「とぼけてもだめだぞ」

「絶対に」倉持は断乎《だんこ》として首を振った、「私はなにも知りません、あれから疑いだしたようすで、かれらは私をなかまから外したのでしょう、近ごろではいっさい私には構わなくなりました」

数馬は唸《うな》った。

――とすると、姫の安否はどうだ。

彼が頭を殴られて失神したとき、姫は誘拐されたに相違ない。あのこまっちゃくれの早苗が、彼の人相を慥かめに来たことでもそれと察しがつく。しかしまた、「誘拐された」という確証もなかった。大田原禅馬に内偵を頼んだけれども、その暇のないうちにこっちへ運ばれて来てしまった。

――要するにまず、姫が誘拐されたかどうか、ということを突止めなければなるまい。

数馬はこう思った。

「ええと」と彼は考えをまとめながら、倉持に云った、「頼みたいことが二つあるんだが、第一にあの武庫、――だろう、おれが押込められていた建物で、いま三人の侍がどたばたやっている筈だ、堀のほうまで捜しているかもしれないが、そのようすを見て来てくれ」

「私がですか」

「おい」と数馬は睨《にら》みつけた、「おまえには妻子があるんだろう、妻子が可哀そうだと思わないのか」

「そこがわかりにくいんでしてね」倉持は首をかしげた、「こんなことをすると、却《かえ》って妻子に憂きめをみせるような結果になるんじゃないかと思うんですが」

「ではうちあけてやろう」数馬は厳粛な秘事に淡白な味を効かせて告げた、「――おれはやがて奥平家の婿になる人間だぞ」

「はあ」と倉持はぼんやり返辞をし、膝《ひざ》の前に落ちているなにかのごみを摘《つま》みあげたが、そのとき数馬の言葉がようやく知覚神経に達したかのように、びくんとして眼をみはった、「な――」と彼は舌をもつらした、「なんですって」

数馬は話した。

倉持は容易に信じがたいようすだったが、奥平家の奥庭であった事実や、本邸からこの中屋敷へ捕われたこと、お屋形さま一味によって武庫の中へ監禁されたことなど、順序を追って話されると、少しずつ心が動きだすようにみえた。

「おれは侍の名誉にかけて云う」と数馬は止《とど》めを刺すように云った、「この中屋敷のお二人がなにを企んでいるかわからないが、この猿芝居が片づいたら、おれは必ずちづか姫と結婚をする、いいか、これは天地神明に誓って云うことだぞ」

「私は」と倉持はかしこまった、「私は、あなたに短刀をお届け申しました」

「死ねということだったぞ」

「藤井たちの話すのを聞いて、これはもう手段がないと思いました、ええ」倉持はそこでこくんと叩頭した、「かれらが私をなかまにしていてくれれば、なにかお助けする隙もみつかったでしょうが、いまも申上げたような事情でそれはできません、せめて最後の場合にはと考えたものですから」

「おれは責めやしない、あれはあれで役に立ったさ」と数馬はおうように云った、「そこで肝心な話だが、第一に武庫へいってみて、おれが脱出したと、かれらが認めたかどうか慥かめて来てくれ、それが済んでから第二の頼みがある、わかったか」

「その、――私は、ですね」倉持はもじもじと云った、「ごく謙遜なところ妻や二人の子が」

数馬は手を振って遮った。

「諄《くど》い諄い」と数馬が云った、「妻子が可愛ければおれの云うことをきくがいい、おい、おまえも侍ならしっかりしろ」

「そうしようとしているところです」

「それから」と数馬が付け加えた、「おれのところへ短刀を届けたのはおまえの弟だと云ったように思うが、そうか」

「はあ、土屋主膳《しゅぜん》へ養子にゆきまして、いまは弥五郎さまの近習《きんじゅ》を勤めています」

「わかった、いってくれ」と数馬は横になった、「返事の来るまでに打つ手を考えておく、ぬかるなよ」

倉持は不決断に出ていった。

出てゆくときに倉持がいいつけたのだろう、まもなく妻女が茶菓を持って来た。良人《おっと》がしけたような貧乏くさい人柄に反して、妻女は顔かたちも姿もなかなかよく、着物もかなり派手である し、近よると白粉《おしろい》や香油が強く匂った。彼女は茶菓をすすめると、極めて技巧的な表情で、自分の名はまちというのであるが、良人の留守のあいだお相手をしよう、と云いだした。

「いや結構、どうか構わないで下さい」数馬は横になったまま答えた、「疲れていますから一と眠りしたいんです」

「ではお腰などお揉《も》み致しましょう」

「とんでもない」彼は手を振った、「そんなことをしてもらっては却って迷惑です、どうか子供さんの面倒をみてあげて下さい」

「あら、皮肉を仰《おっ》しゃるのね」まち女はあだっぽく睨んだ、「あなたはお若いからご存じないかもしれないけれど、女って子供を二人くらい産んでからのほうが、本当の味が出るものだって申しましてよ」

数馬は水をあびせられたような気持になり、起き直って衿を掻《か》き合せた。——そのときどこかで、けたたましく板《ばん》の鳴る音が聞えた。

## 十の四

「どうなさいましたの」と倉持まち女は膝でにじり寄った、「お肩でも揉めと仰しゃるんですか、わたくしそれは指に力がありますの、どんなに強く凝っている方でも」

数馬は片手をあげて制しながら、戸外のもの音に耳をかたむけた。

「おかしな方」とまち女が喉《のど》で笑った、「あれは夜番の柝《き》じゃあありませんか」

柝ではなく板の音だ、と思ったとき、暴《あら》あらしく戸をあけたてしながら、倉持善助がとび込んで来た。

「あれ、ですあれ」倉持は苦しそうに喘《あえ》ぎながらうしろへ手を振った、「夜討ちです」

「まあおちつけ」と数馬が云った、「夜討ちとはなんのことだ」

「なんだかわかりませんが、大勢の人数が表門から襲いかかり、いま玄関先で当家の者と斬りむすんでいるそうです」

「ばかな、ここは将軍家お膝もとだぞ」

「あれを聞いて下さい」と倉持はふるえる手で一方を指さした、「そらあれ、鬨《とき》の声です、聞えるでしょう」

「いくさだわ」とまち女はとびあがり、子供たちのいるほうへ駆けだしながら泣き声で叫んだ、「きっといくさが始まったのよ、どうしましょう」

「物具を出せ」と倉持がどなった、「うろたえるな女房、出陣の用意だ」

「まあ慌てるな」

「いや合戦に紛れはない、大御所さま御他界によって、外様《とざま》諸侯が兵を挙げたのだ、こうしてはいられない、こうしている場合ではない、出陣におくれを取っては一代の恥辱だ、女房、物具を出せ」

「おちつけというんだ」数馬は立って倉持の肩を叩いた、「おれの頼んだ武庫のほうは見て来たのか」

「武庫どころではない、あの鬨の声が聞えないんですか、放して下さい」

そのとき戸外で叫ぶ声がした。

「五橋はいないか」

「数馬はどこだ」

「五橋数馬はどこだ」とこっちへ近づきながら叫ぶのが聞えた、「旗本白柄組が助勢に来たぞ、数馬はどこにいる」

「おれの友人たちだ」と数馬は倉持に云った、「夜討ちじゃあないから心配するな、いや、これは一種の夜討ちかな」

彼はゆっくり出ていった。

外には松明《たいまつ》を振り立てながら、五六人の者が喚き叫んでいた。中屋敷のことで、侍たちの数は少ないのだろう、奥平家の者はそれを押し止めようとするのだが、白柄組の不良少年どもは一向お構いなしで、お祭りでもやっているように、さも嬉しそうにはしゃぎまわっていた。

「おれはここにいる」と数馬は外へ出て叫んだ、「無事だから乱暴をするな」

かれらは歓声をあげ、松明を振りながら集まって来た。先頭に水野十郎左衛門がいて、数馬の無事な姿を慥かめると、「玄関と裏門の者に知らせろ」と命じ、二人の青年が走り去った。

「無事でよかった、心配したぞ」と十郎左が云った、「小田原なんとかいう浪人者から知らせがあって、すぐ五橋家へいってみた、すると用事ででかけたと下女が云った」

「小田原ではない大田原だ」と数馬が遮った、「大田原禅馬という男だ、それに五橋には下女はいない、下女とみえたのは母だ」

「なんだ、怒っているのか」

「怒りはしないが手順が狂った」と数馬が云った、「おれにはこれからすることがあったのに、なぜこんなときに押しかけて来たんだ」

「彦左老の命令だ」と十郎左が答えた、「天下の大事について、旗本の若い者をぜんぶ集めろということになった、そこでまた五橋を訪ねたところ、こんどは行方知れずという返辞だ、そこで奥平の本邸へ小田原、いやおおだわらを訪ねていった」

「おおだわら――特大の俵みたように聞えるぞ」と数馬が云った、「よし、およそわかった、ではもう一と押し手を貸してもらおう」

「冗談じゃない、これからすぐに赤坂見附へゆくんだ」

「赤坂見附とはなんだ」

「いやんなっちまうな」と脇から加賀爪少年が云った、「あなたの伯父さん、つまり大久保彦左衛門老の屋敷じゃありませんか、もう出来あがって本所から移られたんですよ」

「なんと、——」と云って数馬は声を高めた、「みんな聞いてくれ、おれはむろん赤坂見附へゆくが、そのまえにもう一つここで片づけたいことがある」そこで彼は煽動《せんどう》という言葉を思いついた、「こんなふうに押込んだ以上、どうせお咎《とが》めはまぬがれないだろう、事のついでにもう一と暴れやる気はないか」

「待った待った」と十郎左が制止した、「五橋さんはこの屋敷に監禁されたんでしょう、歴とした天下の旗本を理由もなく監禁した、われわれはそれを救助したんですから、お咎めはこの屋敷のほうにこそ」

「おっ、おっ」数馬は片手をあげた、「そいつはちょっと違う、おれは監禁されたのではない、このとおり無事でおまけに自由だ、監禁されたのではなく、或る目的があって忍び込んでいたんだ」

「冗談じゃない、そんな」

十郎左が云いかけると、向うからまた松明を持ったのが十四五人、わっわっと騒ぎながらやって来た。坂部三十郎が先頭で、数馬を取巻き、征服者の雄叫《おたけ》びをあげながら、寄ってたかって数馬を担ぎあげようとした。

「まあ待て」数馬は手を振りながら喚いた、「みんな聞いてくれ、おい、聞けと云ったら聞け」

みんな黙り、静かになった。

「いま話していたところだが」と数馬は続けた、「この屋敷の中に、おれの花嫁になる筈の姫が誘拐されて来た、その姫は或る陰謀の犠牲になって、この屋敷の中に監禁されているんだ」

うおという呻《うめ》き声があがった。

「みんなはおれを助けるため、不法にここへ押入って来た」と彼はまた叫んだ、「しょせん奥平家から強硬な抗議の出ることはわかっている、そこで、もう一と暴れして姫を救い出そうというんだ」

また「うおお」という呻き声が、まえよりも高く強くわきあがった。

「姫を救い出すことができれば」と数馬も声をひと際はりあげた、「旗本五橋数馬の婚約者を誘拐したという事実で、奥平家は抗議ができなくなる、みんなが押入ったことも帳消しになるがどうだ」

「うおおー」という声と共に、二三十もありそうな松明の火が打ち振られた、「文句はあとだ、やっつけろ、揉み潰《つぶ》してしまえ！」

十の五

数馬は汗みずくになった。

もう一と暴れと云ったが、この不良少年どもに本気で暴れられたら取返しのつかないことになる。たとえこっちが将軍直参の旗本でも、大名屋敷は城廓《じょうかく》に等しい。公儀の沙汰なしにそんなことをすれば、それこそたいへんな騒動になる。必要なのは「かれらがなにをするかわからない」

という圧力、すなわち、この屋敷の者が抵抗を断念するだけの圧力があればいいのであった。

数馬は一代の弁舌をふるってかれらをなだめ、それから堂々と玄関へ押しかけた。

玄関へ応対に出たのは、来島帯刀《たてわき》と名のる老人で、この中屋敷の家老だと云った。数馬は自分が不法に掠《とら》われて来、武庫へ監禁されたことを述べ、証拠として「武庫の内部にある秘密のぬけ道を毀した」ことを告げた。来島老人は巧みに云いぬけようとした。数馬は隙を与えず追求しながら、自分がこの上もなく狡猾《こうかつ》な鰻《うなぎ》を手づかみにしようとしているような、あるいはまた、——いや、まさに老獪《ろうかい》きわまる鰻を手づかみにしようとしているような感じ、つまり、相手を「つかみそこねるかもしれない」という感じを強く味わっていた。こうした問答が続くうち、白柄組のつわもの共が動揺し始めた。そして、水野十郎左衛門が近づいて来、数馬の肩を突ついて、こっちへ来い、という眼くばせをした。

これは効果的な機会であり、数馬は十郎左といっしょに玄関の外へ出た。

「いいかげんにして下さい」と十郎左は囁き声で怒った、「われわれは一刻も早く大久保邸で集まらなければならない、天下の大事が切迫しているんですぞ」

「こっちだって人間ひとりの生死に関することだぞ」

「女一人の生死くらいなんです、天下の騒乱となったら何千何万という人間の生命にかかわるんですよ」と十郎左は云って、さらに声をひそめた、「まあお聞きなさい、今朝のことだが、将軍家においては外様諸侯を城中に招き——故大御所さまはみなみなと戦塵《せんじん》を共にくぐられた、したがって双方に友誼《ゆうぎ》も義理もあったが、自分は生れながらにして征夷《せいい》大将軍、このたび大御所の跡を受けて三代将軍となった以上、われは主君みなみなは家来であり、今後はいちように家来としてとり扱うつもりである、もしこれを不服に思う者があったら遠慮は無用、すぐに帰国して旗挙げをするがよい、よろこんで戦場にまみえよう、と仰せられたそうです」

「なんとまた、なんとまた」と数馬は舌打ちをし、うっと声を詰らせた、「まさか」と彼は吃《ども》って訊き返した、「まさか伯父の入れ知恵ではないだろうな」

「天下の御意見番ですからね、本来ならそういうことは諫止《かんし》するのが役目でしょう」

「伯父の入れ知恵か」

十郎左は肩をすくめて云った、「御葬送のときにも、豆州《ずしゅう》侯（松平信綱）はじめ閣老列座の面前で、御老躰は将軍家を叱咤《しった》なすった、外様大名どもは信じがたい、いつ徳川家に反旗をひるがえすかわからない、この機会に幕府の威を示すべきである」

「その話はもう聞いた」と数馬は遮《さえぎ》った、「それで将軍家にそんなだいそれたことを勧めたんだな、あのくそじじいめ」

「もちろん閣老も御承知のうえでしょう」

「あのくそじじい」と云ってから、数馬は十郎左を睨みつけた、「そのうえおまえたちまでが尻馬に乗って、また一と合戦やらかそうというつもりなんだろう」

「それはわかりませんが、御老躰の意見では、外様大名がどう動くか不明である、御前では恭順の意を表したが、中にはひそかに帰国する者があるかもしれない。それで旗本の若い連中を集め、東海、中仙、奥州の三木戸に見張を伏せて、帰国を計る大名があったらそこで討取ってしまえ、ということなのです」

「それも閣老が承認したことか」

「いや極秘です」十郎左はもう一段と声をひそめた、「御老躰おひとりの意見であり、われわれはその指揮にしたがうのです」

「頭へきてる」数馬は幾たびも舌打ちをした、「あのじじいはてっぺん頭へきてる、そんなことが世間に知れたら大騒動になるじゃないか、おまけにこんな不良少年どもを唆《そそのか》すとは、こんな……おい水野」

「私に云ってもだめです、いま私になにを云ってもむだですよ」

「まあ聞け、いいか」数馬は唇を舐《な》めた、「おまえは白柄組の頭領だ、そうだろう、おまえが白柄組の頭領だということは、旗本ぜんたいの責任者だということになる、いいか、たとえ伯父が天下の意見番だったにしても」

数馬は口をつぐんで振向いた。

「五橋さん」と若侍が一人こっちへ走って来た、「玄関の老人が呼んでますよ」

「玄関の、——来島帯刀か」

「名は知りませんが当家の老いぼれです」と云ってその若侍はくすっと笑った、「こっちでお二人が相談しているのでおじけづいたんでしょう、話したいことがあるから来てもらいたいと云ってますよ」

数馬は十郎左に云った、「ちょっと待っていてくれ」

玄関へ戻ってみると、来島老人の態度が変っていた。

「私はいま若い連中をなだめようとしていた」数馬はひどく困惑したように、眉をしかめて云った、「だがどうやらなだめることはできないらしい、——そっちの話というのはなんですか」

「いろいろとあれですが」老人は額の汗を拭いた、「ただいまお屋形さまに申上げました結果、五橋どのお一人なら、ちづか姫と対面されるがよいだろう、さすれば誤解も解けるであろう、ということになったのですが」

「会いましょう」数馬は勇んで答えた、「それならこの連中もおさまると思います」

「ではどうぞ」老人は立ちあがった、「御案内を致しましょう」

数馬は振返って、坂部三十郎を招き、耳打ちをしてから玄関へあがった。

来島老人のあとからついてゆくと、廊下の隅や部屋の中に、襷《たすき》、鉢巻をした家臣たちが、怯えきった顔つきで、かたまってふるえているのが認められた。——幾曲りかした廊下が、やがて御錠口にゆき当り、そこで、待っていた老女が数馬の案内を引継いだ。

「奥御殿ですから」と老女がつんとした声で云った、「どうぞお静かに」

なにをこのばばあ、数馬は思った。

「そちらしだいです」と彼は答えた、「私は静かな人間ですよ」

老女はふんと鼻を鳴らした。

## 十の六

――おれは教養のない人間らしいな。

老女のうしろから歩いてゆきながら、そして、老女のうしろ頸《くび》の、茶色に痩《や》せて骨張った、老いためんどりの首のように、心ぼそくて片意地めいた頸筋を眺めながら、数馬は心の奥で自己反省をした。

――すぐに、くそじじいだとか、このばばあなどと心の中で思う、これはおれの品性をあらわすものだ。

これは卑しいことだ。これはおれの教養の度の低さを示すものだ。

「――ちくしょう」と彼は呟《つぶや》いた。

「なんですか」と老女が振返った。

数馬は赤くなり、「なんですか」と逆に問い返した。

老女は立停って、睨《にら》み殺そうとでもするような眼で彼をにらんだ。

「なんですかとはなんですか」と老女は云った、「――などというはしたないことは申しますまい、しかしちくしょうとはどういうことですか、いいえお黙りなさい」老女は眦《まなじり》をつりあげた、

「これからは奥殿ですからお静かにと云った筈です、それがお気にいらないとでも仰《おっ》しゃるんですか」

「おれは、私は」数馬はもうちょっと赤くなり、自分が赤くなったことで自分に肚《はら》を立てながら弁解した、「つまり私は、自分に対してですね、心の中であなたを……」

「心の中ですって」老女はもっと眦をつりあげた、「わたくしは聾《つんぼ》でもなしそら耳も使いません、心の中どころか、あなたは現在お口に出してちくしょうと」

「それがつまり」と彼は遮った、「つまりおれは、いや私は、自分の教養について」

「教養ですって、ふん」と老女は鼻のあたまへせせら笑いをぶらさげた、「あなたのような方からそんな言葉をうかがうと、わたくしはお臍《へそ》のありかを慥《たし》かめたくなるくらいです、どうか笑わせないで下さい」

このくそばばあ、と数馬は心の中でののしった。

――教養なんかくそくらえ。

と彼は心の中で自分を叱りつけ、もちろん口には出さず、黙って慇懃《いんぎん》に一揖《いちゆう》した。

「あやまります」と彼は云った、「どうか姫のところへ案内して下さい」

「ふんとに」と老女は歩きだしながら、聞えよがしに呟いた、「こんな下賤《げせん》な、ならず者のような人間を姫君にお会わせするなんて、世の中もよくよく末世になったのでしょう、ながら生きはしたくないものです」

このてっぺんくそばばあ、と彼は胸のところでどなった。なが生きがしたくなければ手伝ってやろうか、その老いぼれためんどりの首みたような頸を絞めてやろうか、え、この特大のくそばばあ、ふんと（本当）に絞めてやろうか、と数馬は喉《のど》のちょっと下のところで罵《ののし》った。

渡り廊下があって、数寄屋造りのような座敷に、ちづか姫はいた。姫は石のように無表情な顔で彼を見、それから老女に向って、やさしい声で云った。

「ありがとう小波《さざなみ》、さがっておくれ」

老女は抗弁しようとした。

「ありがとう」と姫は溶けるような微笑で遮った、「さがっておくれ」

老女は数馬を睨みつけ、まるで若い母親が生れたばかりの嬰児《えいじ》を山賊に抱かせでもするときのような、不信と疑惑に満ちた首の振りかたをしながら、しぶしぶと去っていった。

正装をして端座していた姫は、老女が去るとすぐに立ちあがり、数馬にとびついて両腕をもろに彼の首へ巻きつけ、飢えた赤児が乳房にしゃぶりつくように、顔を左右に揺すりながら彼の唇にしゃぶりついた。

「さ、ざ、な、み」と数馬は吸われている唇の隅のところで声を出した、「あの……が小波ですって、あの鬼殺しみたような、う、あのいいしょうづかの鬼ばば、う、う、あれは小波どころか津波みたような、う、う、あれは」

「おそかったのね、待っていたのよ」と云って姫は彼の唇を激しく吸った、「あなたは情《じょう》がないのね、ちづかなんかどうなってもいいと思ってたんでしょ、に、く、ら、し、い」

「う——」数馬は姫を押しはなした、「ちょっと待って下さい、う、まあちょっと、息をつがせて下さい」

「いや」と姫はもっと強く吸いついた、「いやいやいや、この手をこうして」

「そ、冗談じゃありません姫、そんな、う、とにかくちょっと、きき」

姫は彼を次の間へ伴《つ》れていった。

読者諸君はあるいは信用なさらないかもしれない。だが、経験のある方はにやにや笑いをなされることと思うが、こういうときの女の力に抵抗できる男はざらにはいないでしょう。それはもう「力」ではない、一プラス一が二ではなく、しばしば「二ダッシュ」であるように、「力」以上の力が作用するものらしい。数馬を伴れ去るなり、姫は襖《ふすま》をぴしりと閉めたので、その座敷にどういう設備があるか、そこで二人がどんな遊戯に耽《ふけ》ったかということは、残念ながら作者である私にもわからないが、たぶん伴れ込まれたはらいせに、数馬が暴力をふるったのであろう、かすかにではあるが、姫が含み声で呻《うめ》いたり、哀訴したり、ときに悲鳴をあげたりするのが、襖のこちらまでよく聞えた。

やがて、小半刻《とき》も経ってから、襖をあけて数馬が出て来た。ここでもまた、読者諸君は信用しないだろうけれども、姫に対してはらいせの暴力をふるったと思われる彼が、まったく反対なことがおこなわれたかのように、哀れな姿をしていた。数馬の顔色は白く、頬と眼がくぼみ髪が殆んどさんばらになってい、その眼は二つの空洞のようにうつろであった。

「た、し、か、に」と彼は乱れた髪を手で撫《な》でながら、虚脱したような口ぶりで云った、「たしかに教養の問題なんかじゃない、ふんとに、誓って云うが教養なんかくそくらえだ」

彼は着崩れた裾や衿《えり》をかき合せながら、ひとつくねの古雑巾のように、くなくなとそこへ坐った、すると姫が出て来た。――華やかな下着に、うちかけを羽折っただけで、鴇色《ときいろ》の扱帯《しごき》がまる見えになっている。少し髪がほつれているけれども、暴力をふるわれて悲鳴をあげたり、哀訴したような感じはどこにも認められず、むしろ（数馬とは逆に）顔は活き活きと薄桃色に染まり、肌はきらめくほど艶《つや》を帯び、その美しい眼には、美味《うま》い小羊を一疋《ぴき》まるごと喰《た》べた牝豹《めひょう》のような、幸福そうな、満ち足りた色があらわれていた。

「ねええ」と姫は数馬に凭《もた》れかかりながら、溶けるような声で云った、「その天下の大事というのを先になすって、それが片づいたらちづかのほうにかかって――ね、ちづかは大丈夫、わかったわね」

「ねむりたい」と数馬は大きな欠伸《あくび》をして云った、「私はただ眠りたいだけです」そこでまた欠伸をした、「天下の大事なんか、く」

云いかけて彼はとびあがった。

「たいへんだ」と数馬は云った、「あの不良少年ども、――失礼します」彼は弦を放れた矢のようにとびだしていった。

## 十一の一

「おれは大久保彦左衛門である」と老人は云った、「彦左衛門忠教であると共に、東照公ならびに故大御所さまより、じきじきに天下の意見番を仰せつけられた者だ」

おおう、という感動のどよめきが、新築の大広間いっぱいにわき起こった。彦左衛門は床の間を背に、鎧下《よろいした》を着、脛当《すねあて》、足拵《あしごしら》えといういさましい姿で床几《しょうぎ》に腰を掛け、大きく開いた日の丸の鉄扇を斜に構えて、ふんぞり返っていた。

——まるでいたずら小僧だ。

数馬はうんざりした。

こちらには白柄組《しらつかぐみ》はじめ、旗本の不良青少年たちが、多くは具足、中には鎧を着け兜《かぶと》を持った者などもいて、それぞれが自分ひとりでこの世界を背負っているような、極度にふくれあがった自負心を辛くも一枚の皮膚で包んでいる、といったふうな容態で頑張っていた。

「それはそうでしょう、それはわかっています」と数馬が云った、「あなたが天下の問題について意見番という責任を持っておられることは、これはもう世間周知の」ここで彼は心の中で舌打ちをし、なにが世間周知だ、くそっ、きさまなんぞ人に意見するどころか、わらいものになるのがせいぜいなじじいだぞ、と罵《ののし》った、「——世間周知の事実ですが、それならばこそよけいに、出処進退は慎重でなければならない筈です」

「おれが軽率な事でもしているというのか」

「そんなことは云いません、慎重であるようにと願うのです、たとえば」と数馬は白柄組の青年たちを見まわしてから続けた、「たとえばこの連中を各木戸に伏せて、帰国する大名があったら討取るという手筈だそうですが、それはまずい、あなたにも似あわないまずい思案ですよ」

「まずいだと」老人の顔は赤くなった、「おれの思案がどうしてまずいのだ」

「将軍家の威信を傷つけ、幕府の権勢を失墜させるからです」

「おのれなにをぬかす」老人は鉄扇をたたみ、それで膝《ひざ》を叩きながら叫んだ、「おれのすることがどうして上様の威信を傷つける、どういう理由で幕府のけん、けんそんを」

「謙遜《けんそん》じゃあない権勢、権力威勢の意味です」

「字の講釈など聞いてはおらん」と彦左老はどなり返した、「おれが聞きたいのはその、いま申したその二つが、おれの思案が、おれの手筈がその、どうしてその、いまの二つを、ええい」と老人はまた膝を鉄扇で打った、「返答をしろ」と彦左老は喚いた、「おれの訊《き》いたことに答えろ、どうしておれが将軍家を傷つけるんだ」

「外様《とざま》諸侯をこころみるとき、上様は仰せられたそうです」数馬は敬虔《けいけん》な口ぶりで答えた、「――うんぬん」と彼は云った、「さればこの家光に家臣の礼をとることを好まぬ者は、遠慮なく江戸をたち退いて帰国するがよい、所望ならばいつでも一と合戦するぞと、そうではありませんでしたか」

だろう」

暴れ者たちの声が鎮まった。

「さぞ天下は褒めたたえることだろう」と数馬はどなった、「――東照公さまは」と彼はまた低頭し、さもさも慨嘆に耐えないという調子で続けた、「関ケ原に合戦の起こったとき東国小山駅の本陣において、豊臣恩顧の諸将に向背の自由を許された、早く帰坂して挙兵の軍に加わるようにとさえ、ねんごろに仰せられた、だが一人もお側を去る者はなかったし、関ケ原へ到着して、大坂軍と対陣してからも離反する者はなかった、――離反する者があったら自由に離反させよう、武士の勝敗は戦場で決すべきものだ、ふところにいる鳥の首を捻《ひね》るようなことは、侍たる者のとるべき手段ではないとおぼしめされたからだ」

「それを、なんということか」数馬は悲しげに声を曇らせた、「いま天下を掌中におさめ、征夷大将軍として日本全土に君臨する上様の旗本が、僅かな手廻りで帰国する大名の二、三、――それさえ確実に帰国するか否か不明であるのに、木戸に待伏せて不意討ちをかけようという、おまけに天下の意見番たる大久保彦左衛門が采配《さいはい》を振り、旗本名門の若殿ばらが先陣に立つというのだ、――なげかわしい」

「なげかわしい」と彼は強調した、「黄泉《よみ》におわす東照公、御他界あそばした大御所さまが、これを聞かれたらいかにおぼしめされようか、いやいや」と数馬は天を仰いだ、「――そもそも三河武士の面目はどうなるだろうか」

彦左老は膝の上で、当惑げに鉄扇を開いたり閉じたりしていたし、い並んだ青年たちは血を抜かれた若鶏のように、物具鎧の中で身をちぢめ、頭を垂れていた。

――可愛や、単純なやつらだ。

数馬は心の中で笑いながら云った。

――これをうまく利用しないという法はないな、うん、いまならどんな鋳型にでも嵌《は》めることができるぞ、うん、こいつを使わないという法はない、もう一と押し唆《け》しかけろ。

数馬は立ったままで続けた。

こういうことは、その場にい合せないと理解しにくいようだ。数馬は巧みに誘導して、かれらの鋭鋒《えいほう》の向きを変え、やり場のなくなった闘争欲に出口を与えた。どういうぐあいにかということは書けないし、また書くまでもあるまい、要するにかれらは、坂を転げ落ちようとする石塊の群れにすぎなかったからだ。

十一の二

数馬はかれらを自在に操縦した。それは調練の名人が温順な犬を訓練するのに似ていた。彼は的確な言葉でかれらに火をつけ、煽《あお》ぎたてて燃えあがると、その火を強めるために抑え、抑えられた火が凝縮すると、その熱気を目的の風洞に向わせた。

「奥平は三河以来の御譜代と云うが」と彼は仕上げにかかった。「その先祖はひとたび安祥院

（徳川清康）さまに仕えながら、のちに怨敵《おんてき》たる今川氏に身を寄せ、永禄年間に到ってまた徳川家へ帰参した、かかる血筋なればこそ、われら旗本直参たる者の許婚《いいなずけ》を誘拐《ゆうかい》し、われらの身まで武庫へ監禁したのであろう、これを黙認し、指を咥《くわ》えてひきさがっていていいだろうか」

うおお、という叫び声が再びわき起こった、「花嫁を取り返せ、奥平に謝罪させろ、奥平をやっつけろ」うおお、という呶号《どごう》が大広間の天床《てんじょう》をふるわせた。

「よし、よく聞け」数馬は両手を高くあげて云った、「一隊は中屋敷へいってくれ、水野十郎左の指揮でちづか姫を取り戻すんだ、一隊はおれの指揮で本邸へゆこう、大膳太夫《だいぜんだいぶ》を膝詰めで謝罪させ、おれと姫との祝言を認めさせるのだ」

「待て、いや一同待て」と彦左老が喚いた、「おれの申すことを聞け」老人はそこですばらしく大きな咳《せき》をした、「――いかにもこれは旗本ぜんたいの面目に関する重大な問題だ、しかしはやまってはならぬ、勇に任せた行動はしばしば事を誤るものだ、そもそもこの彦左衛門忠教が十五歳にして初陣のみぎり」

始めたなじじい、と数馬は思った。あの偽作の戦記をすっかり暗記したうえ、もうこれまでに幾たびか、いや幾十たびか人々を悩ませたのだろう。ここにいる連中もすでに聞き飽きているらしく「初陣のみぎり」と云っただけで、熊の胃を舐《な》めたようないやな顔をした。

――これをやられてはだれる。

せっかく燃えあがった火勢が鈍る、数馬はそう思ったので伯父の言葉を遮《さえぎ》った。

「きさまたちはこころもとない人間どもだ」と彦左老は嘆いた、「こういう戦場ばなしはいつでも聞けるものではないぞ」

「いまは火急の場合です」と数馬は云った、「こんなときに聞いても身に付きはしません、こと落着のうえゆっくりうかがいます、さあみんな」と数馬は手を振った、「手おくれにならぬうち押しかけようぞ」

「待て、本邸へはおれがゆく」

「なんですって」

「奥平大膳も頑固なやつだ」と老人は床几を立ちながら云った、「おまえたち若い者がいっても、挨拶のしようでは歯が立つまい、戦場の駆引はおれに任せろ、そもそも高天神の合戦において、おれは御馬前に」

「さあ」と数馬が喚いた、「水野隊出陣」

おお、おおという鬨《とき》の声とともに、三四十人の者が立ちあがった。

「おれが高天神の合戦において」

「本邸へゆく者」と数馬はまた喚いて、高くあげた手を左の方向へと振りおろした、「おれに続け」

「高天神、――」と云いかけて、彦左老は「やい待て」と数馬に呼びかけた、「人数はどっちも十人にしろ、武装を解け、本邸へはおれが先頭に乗り込むぞ」

数馬は承知した。

——うまくいった、天下の意見番が乗込んでくれればこっちのものだぞ。

彼はみんなに武装を解かせた。もちろん、中屋敷でちづか姫を引渡すことにはなんの懸念もない、本邸のほうにしても、どう間違ったところで斬りあいになるようなおそれはないし、武装などしてゆけば、却《かえ》って騒擾《そうじょう》の咎《とが》めを受けるかもしれないからであった。

十郎左は九人のなかまを伴れて中屋敷。数馬のほうは八人を選び、彦左老だけ麻裃《あさがみしも》の正装で本邸へと向った。——奥平家上屋敷へ着くと、彦左衛門は初めから喧嘩腰《けんかごし》で、自分の名を名のり、

「大膳太夫に面会したい」と申し入れた。すぐに重臣とみえる老人が迎えに出、接待へ案内して

「暫《しばら》くお待ちを願う」と云うと、彦左衛門は黙れと大喝した。

「この彦左衛門をなに者と心得る」と彦左老は云った、「おそれ多くも東照公ならびに故大御所さまより、天下の意見番たれとじきじきに仰せつけられ、憚《はばか》りながら上様」と礼をし、老臣が慌てて それにならうのを確認してから続けた、「——上様に申上ぐべきことあるときも、随時の登城とおめどおりを許されている者だぞ、たかが宇都宮十一万ぐらいの小城持ちが、おれを待たせるとは分際を知らぬやつだ、待つことならぬと取次げ、まごまご致すとこのまま奥へ踏込むぞ」

老臣は静かに会釈し「私は当家の家老、藤井図書《ずしょ》と申す者ですが」と抗弁しかけたが、彦左衛門の眼光を見てちょっと首を振った。これは相手になってもしようがない、と考えたらしい、もういちど会釈をして出ていった。

「はっはっはあ」と彦左老は笑って若者たちを見た、「あの図書というやつは戦場でめざましいはたらきをした、奥平家では指折りの豪傑だが、この彦左衛門にかかっては、見ろ、まるで仔猫《こねこ》のように温和《おとな》しかったぞ」

「伯父上お願いです」と数馬が云った、「ことは結婚という微妙な問題も絡んでいるのですから、そうむやみにたけり立たないで下さい」

「たけり立つ、誰が、おれがか」と彦左老は云った、「ばかを申すな、おれは遠州乾城《いぬいじよう》の初陣に十七歳で敵の大将と槍を合わせたが」

「知ってます知ってます」数馬は心の中で舌打ちをし、そんなようなでたらめな戦記を教えこんだ自分自身を呪《のろ》ってから云った、「伯父上の戦功はもはやたれ知らぬ者もないのですから、自分で御披露なさらなくとも、――とにかくです」と彼は調子を断平《だんこ》と強めた、「必要のない限りここは穏便に願います」

「きさま臆したな、奥平大膳ごときが恐ろしいのか」

お願いです、と数馬が云おうとしたとき、藤井図書が二人の侍と共に戻って来、一人を側用人の河井斎宮《いつき》、他の一人を中老のなにがしと紹介してから「どうぞこちらへ」と案内に立った。そこでまた押問答になり、面会は彦左衛門だけだと断わられたが、彦左衛門が喚きだし、結局は一人だけならということになり、数馬が付いてゆくことになった。

大膳太夫昌家は数寄屋で迎えた。上段があっては自分が下座に坐るわけにいかないし、彦左衛門が下座に坐らないだろうということも想像がついたとみえる、――昌家は四十歳くらいで、軀《からだ》は肥えて逞《たくま》しく、癇《かん》の強そうな鼻を据えていた。どういうあんばいにかという説明はできないが、それは肉が厚くて、太く、あぐらをかいていて、赤く、なんとなく不平がましく、そしていかにも癇が強そうにみえた。

## 十一の三

大膳のうしろに藤井ら三人が坐り、彦左衛門のうしろに数馬が坐った。

「なに、なんと云われる」大膳は話を半ばまで聞かずに遮った、「私のむすめちづかと婚約の仲、――あのちづかと、ばかなことを云われるな」

「ばかなことではない事実だ」

「そ、いったい、そ」と大膳太夫は激しく吃《ども》った、「ばかなことを、あの、ちづかは私にとってもっとも可愛いむすめだ、これまで幾十となく縁談もあったが、可愛さのあまり手放せなかった、それを、ばかばかしい」

「慥かにばかな話だ」

「そう気づかれたか」

「気づいたのはそこもとだろう」

「私がなにを気づいた」

「いまばかばかしいと云ったぞ」

「ばかばかしいからだ」

「気づけばなによりだ」

「どっちが気づいたのだ」

「自分でいまばかばかしいと云ったではないか」と彦左老がどなった、「可愛さのあまりむすめを嫁にもやれぬなどということはばかげている、しかしそれに気がついたのはなによりだ」

「そ、いや、待たれい、これはまたばかげたことだ、よく聞かれえ」と大膳太夫は赤くなった、するとそれに呼応して鼻もさらに赤みを増した、「よろしいか、私がばかばかしいと云ったのは、それほど大事にしているちづかを、よろしいか、なにものにも代えがたいほど可愛いむすめを」

「可愛いのはわかった、おれが云うのは」

「わかっていない、御老躰《ろうたい》はおわかりにならない」と大膳太夫が遮った、「私はちづかに一万石を与えて分家させるつもりでいる、そのくらい可愛いのだ、いまどきの頼みにならぬ若者などと結婚すれば、不幸になることは眼に見えている、私はちづかを嫁にやる気はない、断じてないのだ」

「失礼ですが」と数馬が巧みに話題を奪った、「それほど大事な姫を人に誘拐されても構わないのですか」

「誘拐だと、ばかなことを」と云って、大膳は初めて数馬に眼をつけた、「そのほうは御老躰の従者か」
「旗本五橋三郎太郎左衛門の養子」と彼は答えた、「また大久保彦左衛門には甥《おい》に当る数馬です」
「五橋数馬、そんな名は聞かぬぞ」
「まもなくあなたの婿になるのです」
「おのれ、なんになるって」
「ちづか姫と婚約をしたのは私です」と云って数馬は片手をあげ、「怒るのはあとにして下さい、怒っても手おくれですし、怒るよりも姫の安否をしらべるほうが先でしょう」
「たとえあなたが」と大膳太夫は彦左老に向ってどなったが、その声は怒りのためにしゃがれていた、「たとえあなたが八十歳の高齢であり、戦場往来の豪傑であろうとも、こういう無礼なことをなさるからには大膳太夫にも覚悟がありますぞ」
「おれは八十歳ではない、まだようやく七十歳になったばかりだ」彦左衛門は三つも年のさばを読んだ、「また、戦場往来の豪傑などと簡単に云うが、この彦左衛門はそもそも十七歳にして遠州乾城の初陣より」
「たくさんだ、その念仏はもう聞いた」
「念仏だと、念仏とはなんだ」
「いつも同じことを唸《うな》りだすからだ」と大膳太夫が云った、「念仏というものはきまった文句を唸るものだが、御老躰の功名ばなしも念仏と同じことだというのだ」

「云ったな、この天下の意見番たる大久保彦左衛門忠教をとらえて」

「伯父上、奥平侯」数馬は絶叫して二人の口論を遮った、「待って、下さい、まあ待って下さい、そんな口争いをしているときではない、奥平侯、まずなによりもちづか姫の安否を慥かめるがいいでしょう、姫は誘拐されたのですぞ」

「そんなことは不可能だ」

「誓って云うがこのお屋敷にはいません」

「いたらどうする」

「この、——」首をと云いかけて、数馬はその言葉を歯のところで危うく止めた、「私のほうでうかがいましょう、姫がいなかったらどうします」

「念には及ばぬ、ひ、——」姫をやると云いかけたのだろうが、大膳太夫もあぶなく舌に制御をかけた、「まずしらべるのが先だ」

用人が立とうとしたが、大膳太夫のほうが早かった。しんじつ姫を溺愛《できあい》しているらしい、彦左老に会釈して立つと、床板を踏み鳴らして去った。おどろいたことには、去ったと思ったとたん、大膳太夫はきちがいのようになって駆け戻って来、立ったままで、きちがいのように喚きたてた。

「姫がいない、姫が掠《さら》われた」大膳太夫は床板を割れるほど踏みたてた、「ものども集まれ、一大事だ、おれのちづかが掠われたぞ」

「お鎮まりなさい」とまた数馬は絶叫した、「誘拐はされたが姫は無事です」

「なに、なにが無事だ、姫は現に」

「御無事です」と数馬はどなった、「単に御無事なばかりでなく、旗本白柄組の者どもがお救い出しにまいりました、もうやがてここへお伴れして来るじぶんなのです」

「い、い」と大膳太夫は激しく吃った、「いったいそれはどういうことだ」

「あれをお聞き下さい」と数馬が遮った。

えいえい、おうおうという武者押しのような声が、庭をこちらへ近づいて来る。大膳太夫が広縁へとびだし、彦左老と数馬がとびだし、奥平家の三老臣もとびだした。

かれらはやって来た。奥平家の若侍二人が先導している、たぶん威《おど》しつけて案内させたのだろう、中の木戸をぬけて、八人の不良青年どもが板輿《いたごし》を担ぎ、十郎左と坂部三十郎が前後を護って、えいおうえいおうとこちらへ近よって来た。——板輿の御簾《みす》をあげて、ちづか姫があでやかな姿をみせ、白い手をこちらへひらひらと振っていた。

「おお、ちづか」大膳太夫はおどりあがって叫んだ、「おれのむすめ、父はここだぞ」

彦左衛門は甥を睨みつけた。

「このくわせ者」と老人は囁《ささや》き声で罵った、「事がこんなにうまくゆく筈はない、これはきさまの仕組んだことだろう」

「伯父上のおかげです」と数馬が囁き返した、「私は一万石の婿になれますよ」

輿がおろされると、ちづか姫はまっすぐに走って来、大膳太夫の差出している手には眼もくれず、いきなり数馬に抱きついた。

十一の四

大膳太夫は仰天し、いちど蒼《あお》くなった顔を、こんどこそまさしく朱のように染め、そのため鼻はどす黒いような色になった。

「これ姫なにをする」と大膳太夫は叫んだ、「人眼があるのを忘れたか、見苦しいぞ、その男からはなれろ」

「いいのよ」とちづか姫は抱きついたまま数馬の耳に囁いた、「勇気を出してね、これからが大事なところよ」

「大勢が見ています」数馬は姫の手を放そうとして云った、「こんなことをしてはまずい、お父上を怒らせてしまいますよ」

「大勢の見ているほうがいいの、みんなを証人にするのよ」

「証人ですって」

「あたしを抱いて」と姫が云った、「もっとぎゅっと、もっときつく抱いてちょうだい」

「これちづか、おれの云うことが聞えないのか」大膳太夫は床板を踏み鳴らした、「そのありさまはなんだ、この父に恥辱を与えるつもりか」

「そう騒ぎなさるな」彦左衛門はうれしそうに云った、「いまどきの若い者は頼みにならぬと云われたが、恋をさせてもこのくらいのことはやってのける、あの堂々たる姿を見るがよい、あれは叱られてやめるような、なまやさしいものではないぞ」

このあいだじゅう、庭上では白柄組の不良どもが歓声をあげ、若い野獣の群れのように咆哮し、おどりあがって二人に声援を送っていた。大膳太夫は朱色の顔から汗をしたたらせながら、片手の拳《こぶし》をあげて彦左老に詰め寄った。

「これは御老躰の責任だぞ」と大膳太夫は拳をふるわせて罵った、「御老躰の躾《しつけ》が悪いからあんな男ができたのだ、人の見る前で女に抱きつくなど」

「抱きついたのは姫のほうだ」と彦左老がやり返した、「みんなが現に見ているぞ、抱きついたのはおぬしのむすめだ」

「姫は誘惑されたからだ」

「それも違う、誘惑ではなく誘拐だ」と彦左老はたたみかけた、「おぬしのむすめはおぬしの弟にかどわかされ、監禁されていた、それを救おうとして数馬も武庫へ監禁され、白柄組の援助によって危うく脱出し、また姫も助け出されたのだ」

「その実否は吟味してみなければわからぬ」

「おぬしは盲人か」と老は云った、「姫がいないと云って、おぬしが気違いのように騒いでいたとき、姫が無事に救い出され、板輿にのせて担ぎ込まれて来た、おぬしの眼にはそれが見えなかったのか」

「しかし弟どもが姫を誘拐したという証拠はないぞ」

「お父さま」とちづか姫は数馬からはなれて云った、「すぐに中屋敷から丹波さま弥五郎さまをお呼び下さい」

「呼んでどうするのだ」

「数馬さまの仰しゃることが事実か嘘かはっきり致します」

「姫までがそんなことを申すのか」

「誘拐されたのはちづか一人ではございません」と姫は云った、「姉ぎみや妹から、万之助さま、亀之助さんまでが中屋敷へ伴れてゆかれたのです」

「ばかを云え」大膳太夫は叱り、狼狽《ろうばい》して、姫の言葉をかき消そうとでもするように手を振った、「ばかなことを云うものではない、万之助も亀之助もちゃんと屋敷にいるぞ」

「ではしらべるように仰しゃって下さい、亀之助さんはいるかもしれませんが、万之助さまはいない筈ですから」

「こんな多人数の前でか」

姫は数馬に振向いた。数馬はすぐにその意味を悟り、庭にいる白柄組に向って、ここを引取るようにと合図をした。

「みんなに接待で酒肴《しゅこう》が出るそうだ」と数馬はどなった、「暫くそっちで休息していてくれ、事が落着したら知らせるぞ」

「そうだ」と彦左老が口を添えた、「遠慮はいらぬ、存分に飲んで食え、姫を救い出した手柄だ、白柄組の飲みっぷりを見せてやれ」

わあっと不良どもは鬨の声をあげ、奥平家の者を押しこくりながら去っていった。

このあいだに、大膳太夫は老臣の一人を奥へやり、彦左老や数馬と元の座へ直った。そして、「姫は奥へゆけ」と云ったが、姫は動かなかった。動かなかったばかりではない、父に向って石火矢を射《う》ちかけるような宣言をし、数馬の脇により添って坐った。

「なに、なに、なに」大膳太夫は石火矢で胸板を射ち抜かれでもしたように、片手で自分の胸をつかみながら云った、「この、その、その男が姫のなんだと」

「ちゞかの良人《おっと》でございます」

「黙れ」大膳太夫の声は高い天床《てんじょう》からはね返って聞えた、「そんなことは聞きたくない、断じて聞きたくないし許しもせぬ、姫はこの父の命をちぢめるつもりか」

そのときもっと驚くべき事が起こった。奥へいった側用人の河井斎宮が、十四歳ばかりの若君を伴れて戻って来、「一大事でございます」とふるえながら云った。

「うるさいぞ斎宮、余はいまそれどころではないのだ」

「いや殿、お聞き下され」と斎宮が遮って云った、「仰せによってただいま奥殿へまいりましたところ、万之助ぎみのお姿はなく、代りにこれなる弥太松さまがおられました」

「なになに、なんだと」大膳太夫の顔が二度めに蒼くなった、「万之助がおらぬと、それはどういうことだ」

「つまり、おられませんので」

「ばか者」大膳太夫は喚くと同時に、また胸をつかんで、いま遠乗りから帰ったばかりの馬のように喘《あえ》いだ、「おれの心の臓は弱っている、ひどく怒ったり、驚愕《きょうがく》したりしてはいけないのだ、それをきさまたちは」そう云いかけて、そこにいる少年を認めて眼を剝《む》いた、「こ、こ」と大膳太夫は吃った、「これは弥五郎の伜《せがれ》ではないか」

「いかにも弥太松さまにございます」

「なんのためにこやつが――」と云いかけたが、大膳太夫は三たび顔を朱色に染め、喘ぎながら苦しげに叫んだ、「弥五郎を呼べ、丹波を呼べ、二人とも首に縄を掛けてでも伴れてまいれ、ぐずぐず致すときさまらぜんぶ勘当だぞ」

斎宮が少年を伴れて去り、大膳太夫は汗を拭きながら彦左衛門に会釈した。

「とんだ態《てい》たらくをごらんに入れ、まことに恥入ったしだいです」と大膳太夫は云った、「この仔細《しさい》はどうぞ御内聞に」

「もちろん条件付きだ」と彦左老が云った、「それは承知の上だろうな」

「条件とはどのような」

「伯父上」と数馬は慌てて止めた、「それはあとのことにして下さい、ただいまは奥平家お世継ぎの安否、若ぎみの安否を糺《ただ》すのが先ですから、どうぞ」

そして彼は一種のめくばせをした。

## 十一の五

河井斎宮は丹波さまと弥五郎さまを同伴して戻った。若ぎみ万之助も、無事に中屋敷から引取って来たという。そこで大膳は吟味を始めるに当って、彦左衛門と数馬の退席を求めたが、彦左老は頑強にはねつけた。

「おれの甥であり、将軍家旗本である数馬を武庫へ監禁した」と彦左老は云った、「これはゆるがせならぬ重大事だから、吟味に立会うのは当然の権利だ」

それとも両名を公儀の法廷へ喚問しようか、とひらき直ったので、大膳太夫も我骨《がぼね》を折らざるを得なかった。ではちづかだけでも席を去れと云ったところ、彼女もまた「わたくしは証人である」と答えて動かなかった。

そこで三人の老臣も陪席のうえ、書役なしで審問を始めたが、数馬の驚いたことに、丹波さまも弥五郎さまも「薄のろで、まぬけで、蚊も殺せないほど臆病であり、欲の深いところが人並なだけだ」と云ったちづか姫の言葉が、あまりにぴったりと当嵌《あては》まっていることであった。

二人とも皮膚のだぶついた顔で、しまりがなく、眼尻がさがっているし、唇はいつも少しあいたままであった。なにか訊かれてもすぐには答えられない、二人が互いに顔を見合せ、口の中でもごもご呟いてから、どちらかが返辞をし、するともう一人が同じことをもういちど述べる、というふうであった。それを見ていると、かれらは二人ではなく「一人」であるかのように思えた。顔かたちその他がよく似ているというのではなく、知、感、情のすべてにおいて、一人の要素が二つに分れており、二人が一つになって初めて人間「一人」を形づくっている、という意味なのである（こういう人物だと知っていたら、もっと早く登場させるんだったのに、ちきしょう、と作者も悔んだくらいであるが）。

「ええと、さよう」丹波が口の中にいっぱい唾液《だえき》の溜《た》まっているような調子で、考え考え答えた、「さよう、二年か、二年半か、もう少しまえであったでしょうかな」

弥五郎がそれに付けて「ええと、さよう」と云い始めたとき、大膳太夫は「黙れ」と制止した。なにしろ二人ののろまさと、番たびの復唱とで、そこまでこぎつけるのに半刻以上もかかり、彦左衛門は五たびも大欠伸をしたくらいであった。

「弥五郎は黙れ」と大膳太夫は云った、「いや、どっちかが答えたらどっちかは黙れ、つまり弥五郎だけ黙れと云うのではなく、弥五郎が答えたら丹波が黙り、丹波が黙ったら弥五郎は黙る、のではない答える、要するに」と大膳太夫は相手を一人ずつ指さしてみせた、「こっちが答えたらそっちは黙る、わかったか」

二人は顔をみつめあった。お互いの顔から答案をさぐり出そうとでもするように、注意力を集中してみつめあい、それから口の中でなにか呟きあい、ようやく結論を得たというようすで、二人いっしょに反問した。

「なにを黙るんですか」

大膳太夫は石ころでも呑みこんだような顔をし、三度まで口をあけたり閉じたりした。云おうとすることが喉のところで閊《つか》えて、どうしても出て来ないといったふうな顔つきにみえた。

「よし、いまの言葉は忘れろ」と大膳太夫はようやくのことで云った、「なにを黙るかはそのたびに云ってやる、あとを続けろ」

二人は同じ手順を経て、こんどは弥五郎が訊き返した。

「なにを続けるんでしょう」

「おれは怒ってはいけない」と大膳太夫は眼をつむって自分に云い聞かせた、「この二人を相手に怒るのは壁に向って怒るのと同じことだ、辛抱しろ、がまんが第一だぞ」

そうして自分をなだめてから、もういちどゆっくりと訊問《じんもん》した。

「ええそうです、ええ」と丹波が答えた、「御本家のお子たちを中屋敷へ伴れてゆき、私どもの若や嬢たちをこちらへよこしました」

「そう云うわけなんです」と弥五郎が復唱し始め、大膳太夫が「そこだ」と云って弥五郎を指さした。

「弥五郎は云わなくともいい、おまえはそこで黙るんだ」そして彼は丹波を見た、「――よし、そのあとを聞こう」

「そのあと、――」と云って、丹波は途方にくれたように、鼻の下を撫でた、「そのあとはなにもしません」

「ちづかを掠《さら》ったのを忘れたのか」

「それはいま、そのことはもう、いま申上げましたよ」と丹波は不服そうに云った、「それとも、もういちど云うわけですか」

「きさま、――」と云いかけたが、大膳太夫は急に眼をつむり、声には出さずに呪いの言葉を呟いて、やっとのことで自制した、「よく聞け、いいか」と彼は忍耐づよく云った、「おまえたちは何年もまえから、おれの姫や若を中屋敷へ掠ってゆき、自分たちの伜や娘をこっちへ伴れて来た、そうだな」

「ちがいます」と弥五郎が首を振った。

「どう違う、いま丹波がそのとおり云ったばかりではないか」

「ちがいます」と丹波が答えた、「あなたがあまりせっかちだから、話がなかなか進まないんですよ、ええ」

「ええ、そうなんですよ」と弥五郎が云った、「あなたがその、あんまりせっかちだから」

「黙れ黙れ黙れ」と大膳太夫は声いっぱいに喚き、肩で息をしながら云った、「斎宮、早く、余の持薬を持ってまいれ、早く、おれの心の臓はどうにかなりそうなあんばいだぞ」

河井斎宮が走り去った。

「失礼ですが」と初めて数馬は膝を進めた、「この吟味は私に任せて下さい、そのほうが早く片づくと思いますから」

　大膳太夫は手を振りながら喘いだ。どうとも好きなようにしてくれ、という意味らしい。斎宮が戻って来ると、なにかの丸薬をのみ、数馬の訊問ぶりを温和しく聞いていた。

「どうしてかって」と丹波は訊かれたことをむしろふしぎそうに答えた、「それはね、つまるところ、いま云ったとおり、中屋敷からわれわれの子をこの本家へ、本家のお子たちを中屋敷へ、ね、あちらの子をこちらへやり、こちらの子をあちらへやる、ね、それからまたこちらの子をあちらへやって、あちらの子をこちらへ戻す、それからまたこちらの子をあちらへ」

「ちょっと」と数馬が遮った、「そこで一つうかがいたいが、御本家の姫ぎみたちが、よくそんなことをがまんしましたね、なにかくふうがあったのですか」

　丹波と弥五郎は顔を見合せ、お定まりの手順を踏んでから、弥五郎が「おほん」と、とりすました咳ばらいをした。

「それはです」と弥五郎は答えた、「それは一とくちに云うと、梅の井という老女の係りであって、梅の井は三十二歳の賢い女であるが、むすめたちを引留めるための、いろいろな絵草紙や器具をそろえ、また特殊な抜術の奥義を極めておるのでしょう、これはもう、その、技神に入るていの、うう、なんと申したらよいか、——なにしろそういったようなしだいで、いちど梅の井の手にかかると、どんなに身持の堅固なむすめでも、まるで土用のひなたに置いた飴《あめ》ん棒のように、ぐたぐたと」

「けがらわしい」と数馬は義憤の叫びをあげた、具体的なことはわからないが、なんとなくみだらがましくけがらわしいようなものを感じたのであり、なによりもちづか姫にそんないかがわしい行為が加えられたかと思うことで、かっと頭が熱くなった、「――そんな劣等な方法で、ちづか姫までけがしたのですか」

「いやいや、とんでもない」と丹波が複雑な微笑をうかべながら、頭をゆらゆらと振った、「あの姫だけは梅の井も閉口していた、梅の井が云うには、姫のほうが梅の井よりもなにかにつけて腕も頭もよいし、梅の井のほうで教えられることが少なくなかった、その結果として、梅の井が云うには、自分も嫁にゆきたくなった、やはり本物でないと本当ではない、技巧は技巧だけの浅薄なものだということを悟った、と申しておった」

「さようさ、梅の井が申すには」

「弥五郎はそこで黙れ」と大膳太夫がもの憂げに制止した。

これでわかった、と数馬は思った。みゆき姫が急にませたというのも、いつき姫がしとやかに女らしくなったというのも、結局そういう経験が……そこまで考えて、数馬は自分が赤くなるように思い、坐り直して、訊問を本題へ戻した。

「さよう、一族間のまじわりを深め、本家の姫たちに縁談のきっかけをつくる、そういうことが主旨であったのは事実だ」と丹波が答えて弥五郎を見た、「なあ、そうであったよなあ」

「さようさ、もちろん一族間の」

「それだけの理由ですか」と弥五郎の復唱を遮って数馬が訊いた、「そのように双方のお子たちをあっちへやりこっちへやりしていては、ごちゃごちゃになってしまうでしょう」

「私も人の親だ」と二人は同時に云った。

「われわれは本家分家で一族だ」と丹波が続けた、「これをあっち、あれをこっち、やったり取ったりしていれば、いつかはごちゃごちゃになるだろう、そうすれば、ことによると私のむすめや若たちが、本家の若や姫たちと入れ替りになり、私の伜の小三郎が、万之助どのに代って本家の跡取りになれるかもしれない、ね、事がまぎらわしくなれば、人はうんざりして深い詮索《せんさく》はしなくなるもんだから」

「この大ばか者」大膳太夫の絶叫が天床からはね返って聞えた、「この大たわけ」

「なぜですか」と弥五郎が訝《いぶか》しげに訊き返した、「だってわれわれはきょうだいであり一族であってみれば、あなたのお子たちだけが十万石を独占するということは、あまりに利己的ではないでしょうか」

「一族の情誼《じょうぎ》にもとりはしませんか、ね、私も子の親としてはやはりわが子を可愛く思うのが道理でしょう、ね、これは世間一般の通念ですよ」

「斎宮、持薬をくれ」と大膳太夫は悲鳴をあげ、丸薬をのみこんで噎《む》せ、咳をしながら二人を指さし、咳と咳のあいまから云った、「きさまたちに分けた扶持《ふち》は召上げだ、二人ともこんにちただいまから家臣にさげ、百日の謹慎を命ずる、さがれ」

二人は顔を見合せ、それからいっしょに数馬のほうへ振向いた。

「御本家はなにを怒っておられるのだろうか」と二人で同時に問いかけた。

「もう一つ訊きますが」と数馬は逆に質問した、「私は中屋敷の藤井という者に捕えられて、武庫の中に監禁されましたが、あれはお二人が命じられたことですか」

「それが、そうではないんだな」と丹波が弥五郎を見た。

「さよう」と弥五郎が微笑した、「それが、そうではないんだ、あれは藤井嘉門《かもん》がやったことなんでね」

「藤井嘉門が、ね」と丹波も同じように微笑した、「ちづかどのは一万石という分知《ぶち》が付いていて、藤井は自分が婿に、ね、婿になるつもりだった」

「そこへ五橋数馬という者があらわれ」と丹波が云った、「ちづかどのとねんごろになり、どうやら契りも交わしたらしい、ね、とすれば藤井としてはどうしたらいいか」

「さよう、藤井としてはどうしたらいいか」と弥五郎が秘密をあかすように云った、「姫がその数馬なる者と、すでに契りも交わしているとなればね、――わかるだろう、彼はなかなか賢い人間なんだよ」

「ちづかがそやつと契った、ちづかが」大膳太夫はいまにも死にそうな声をあげ、両手で左の胸を押えたが、すぐに、狼狽したように右の胸を押えた、「ああ、だめだ」と彼は絶望的に云った、「こっちで搏《う》ってる、そら、おれの心の臓はこっちへ来て、搏ってる、おれを寝所へ伴れていってくれ、斎宮、おれの心の臓は」

「そのまえにはっきりさせよう」と彦左老が云った、「数馬と姫とは」

「伯父上」と数馬がめくばせをして、囁くように云った、「その話はあとで、——あとで」

「このくわせ者」と彦左老が云った、「きさまほどのくわせ者もないぞ」

「あなたの甥ですからな」と数馬は云った、「あとでお礼は充分に致しますよ」

## 十二、終るについての章

「あなた」と姫、いやもう姫ではなく、ちづかが云った、「もうお眠りになるの」

「少し眠らせてくれ、ほんのちょっとだ」

「ねーえ」とちづかは鼻声をだした、「ねえ、眠ってもいいから、こっちへお向きになって、ねえ」

数馬は云われるままに寝返った。

前章から一年ちかく経っていた。ここは麹町《こうじまち》半蔵門の外にある、奥平家の下屋敷の数寄屋で、二人はいま寝所の中にいるのであった。このあいだにいろいろな事があり、その仔細《しさい》を記すには紙数が足りないためここに概要を抄記するわけであるが、——五橋家から籍を抜くことはなんでもなかった、三郎太郎左衛門の若い妻は、生れて来る子のために、できるなら彼をいびり出したいと考えていたところだし、三郎太郎左衛門その人はなにごとも「なりゆきにはさからわない」

主義だったからである。また、実家の内藤家にも文句はなかった。母だけは哀れがって「可哀そうに」可哀そうにと繰り返してい、一万石のあるじになるのだ、といくら云っても、その損益を理解しようとはしなかった。

大膳太夫を承知させたのはちづか姫で、これにはかなり手を焼いたらしい。姫は早く解決させるために、「自分はすでに身ごもっている」と云い、大膳太夫は持薬を倍ものんだうえ、まさかつらあてではないだろうが、「そういうことなら弥五郎から召上げた五千石も持ってゆけ」と云ったそうである。つまり、姫は一万五千石を分知されるわけで、条件としては、不縁になった場合は数馬が身一つで出てゆく、という約束をさせられ、姫は彼に「そのときは一万五千石を持っていっしょについてゆくわよ」と片眼をつむってみせたのであった。

いずれ知行所へ館を建てるが、「それまでは半蔵門外の下屋敷を使え」ということになった。付けられた家来はとりあえず三十人、数馬は中屋敷から(約束によって)倉持善助を抜き、また大田原禅馬も召抱えた。禅馬のよろこんだのは云うまでもないが、倉持は二百石与えると聞いて、ひきつけを起こしそうになった。——また姫は、侍女の中に早苗を加えた。このこまっちゃくれた娘は、数馬誘拐《ゆうかい》の片棒を担いだが、それは却《かえ》って二人をむすびつける機会を早めた結果になったし、それよりも数馬と姫との逢《お》う瀬《せ》をとりもち、二人のむつごとまで聞かれているので、姫としては手放す気になれなかったのである。

「ねえ、ねーえ」と姫が云った、「もうお起きになって、ねえ、あなた」

「こう」と数馬は寝返った、「うう、石垣に繋《つな》いだ舟は大丈夫かな」

「ねぼけていらっしゃるのね、こうしてあげるわ」

なにをどうしたものか、数馬は奇妙な声で笑い、軀《からだ》をちぢめて、身もがきをしながら、眼をさました。

「えへん」と屛風《びょうぶ》の外で早苗の声がした、「殿さまにおめどおりを願っている者があるとのことでございます」

「だめよ」とちづかが云った、「こんな時刻になんですか、まだおよっていらっしゃるからだめ」

「時刻はもう四つ（午前十時）でございます」と早苗が云った、「お客は水野十郎左衛門さまだと申しますが」

「四つですって、嘘ばっかり」

「ちょっとこれを」と数馬は身をよじって云った、「これをどけて、この手を放してくれ、水野なら会わないわけにはいかないんだ」

「つまらない」ちづかは鼻を鳴らした、「せっかく御夫婦になって、まだ一年と少しにしかならないのに、ううん」

「とにかくちょっと、また大伯父のことに違いないんだから、これを、おいよせ」数馬は息を詰らせ、足をばたつかせた、「うっ、うっ」それから唇の端のほんの僅かな隙間からでも出すような声で云った、「――さ、な、え、水野に会うと、云ってくれ」

「えへん」と早苗が答えた、「水野さまにお会いあそばすと申し伝えます」

それから約半刻《とき》のち、——数馬は大田原禅馬を供に、馬で大久保邸へ駆けつけた。半蔵門の外から赤坂見附までだから、歩いてもぞうさはないのだが、彼は馬で乗りつけるほど心せいていた。

彦左衛門は居間で裸躰《らたい》になり、例の若い側女《そばめ》に汗を拭かせていた。

「客間で待っておれ」と彦左老が云い、若い側女の腋《わき》の下をくすぐった。

「どうぞそのまま」と云って数馬はそこへ坐った、「今日は御意見にまいったのです」

「意見だと」彦左老はまた側女をくすぐり、側女が身をちぢめて笑うと、反対側の腋の下をくすぐった、「——おれにか」

「どうか隠居をして下さい」と数馬は云った、「あなたの行状はだんだん桁外《けたはず》れになる、若い者を集めて、がまん会ややみ汁会、野試合をなさるくらいはまだいいが、昨日は盥《たらい》に乗って登城されたそうではありませんか」

「なにが桁外れだ」と彦左老が答えた、「万石以上の大名でなければ駕籠《かご》の登城は許さぬという、おれはもはや老年だから歩くわけにはいかぬし、駕籠がいかんというので盥をもちいたのだ」

「もうたくさんです、そんなことは後世に伝わってもせいぜい講釈師のたねになるくらいがおちでしょう、もうあなたは役割をはたされたも同様です」

「きさまのための役割か」

「まじめな話です、どうかこのへんで隠退なすって下さい」と数馬は云った、「もう朝顔とか菊などでも作って、清閑をたのしむお年ですよ」
「朝顔、——菊、——」と彦左老は云った、「おれはそうやって清閑をたのしんでいた、朝顔でも尺に近い大輪を咲かせたし、菊はもう少しで新種を仕上げるところだった、おれは清閑をたのしんでいたんだ、それをうまく云いくるめて、きさまが俗世間へおびき出したんだぞ、きさまがだぞ数馬、おれ自身ではない、きさまがひきずり出したんだぞ」
「いや隠居どころか」と老は数馬がなにか云おうとするのを遮《さえぎ》った、「おれはこれから登城して将軍家に意見をしなければならない、昨日下城してから聞いたのだが、将軍家は亀井能登《のと》の口髭《くちひげ》を剃《そ》り落されたそうだ」
「口髭をですって」
「亀井と三浦壱岐《いき》が口論をして、三浦が云い負かされた」彦左老は着物を着ながら云った、「三浦はくやしがって将軍家をだしに使った、知ってのとおり将軍家は口髭が御自慢で、天下ひろしといえども自分の口髭にまさる口髭はあるまいと、日頃から鼻を高くしておられた、ところが亀井も口髭をたてておるしなかなかみごとなものだ、そこで三浦は御前へ出て、おそれながら上様のお口髭より亀井の口髭のほうが立派である、と申上げた」
「それで髭は剃り落しですか」
「ただちに剃り落せという御下命だ」と彦左老は裃《かみしも》を着けながら云った、「亀井は泣きの涙で剃り落したというが、将軍家ともある者がそんなばかげた、子供みたようなことをなさるのはもってのほか、これでは諸侯に対する御威光にかかわるというものだ」

「しかしそれは御座輿ともいえるでしょう、まじめにそんなことを」

「黙れ」と云って彦左老は脇差を差し、刀を右手に持った、「将軍家ともあれば座輿にもほどがある」そして大声《たいせい》で「出るぞ」とどなり、数馬に向って、胸を一つ叩いてみせた、「——おれは天下の意見番だからな」

そして、若い側女の顎《あご》の下をくすぐり、大股《おおまた》に廊下へ出ていった。数馬はなにか云おうとして口をあき、なにも云わずに、両手を肩のところまであげ、それをばたりと膝《ひざ》の上へ落した。

「天下の意見番か」と彼は太息《といき》をつきながら云った、「おれもとんだものを作っちまったものだ」

# 解説

奥野健男

『彦左衛門外記』は、昭和三十四年（一九五九）六月から翌三十五年八月まで、雑誌「労働文化」に『御意見番に候』という題で連載された。そして昭和三十五年十月に、『彦左衛門外記』と今日の題に改められ、講談社より単行本として刊行された。

たぶん『彦左衛門外記』に接した多くの山本周五郎ファンは、おやっとはじめ思われたに違いない。これは自分が愛読し、なれ親しんで来た、いつもの山本周五郎とは違うと。だいいち書き出しから六行目ぐらいの文章にびっくりし、とまどう。

〈彼は幼名を小三郎といった。初めて野心をいだいたのは五歳のときのことで、それは「砂糖漬けの棗《なつめ》をいちどきに五百喰《た》べて母親と夫婦になる」ということであった。〉

これは何のことか、五歳の子が棗を五百喰べて母親と夫婦になるなど、まるで判じ物か呪文《じゅもん》ではないかと……。この突拍子もない文章や事柄が象徴しているように、『彦左衛門外記』はまことに突拍子もない、人を喰《く》ったしかし奇想天外におもしろい小説であるのだ。

山本周五郎と言えば、晩年の三つの高峰にたとえられる長編『樅《もみ》ノ木は残った』『虚空遍歴』

『ながい坂』の印象が圧倒的で、人生の何たるかを追求する真面目な求道的作家というイメージを定着してしまっている。もちろん『青べか物語』『季節のない街』『赤ひげ診療譚』など、吹きだまりの人生の鋭い観察者であり、ユーモアと哀しみとをこめた表現者であるという面も周知のところである。さらに『日本婦道記』『柳橋物語』『落葉の隣り』など、目だたぬ控え目の女性たち、下積みのつつましい庶民たちの中に、懸命に生きている名もない人々の姿と心を見事に救いあげる作家として読者の心を撃つ。これらの武家もの庶民ものの中には、『よじょう』『あだこ』『おたふく物語』などの諷刺《ふうし》的作品も、人の心をほのぼのとさせる笑いの作品もあるし、『その木戸を通って』などのように、人間のエロスを大胆に追求した作品もある。

このように山本周五郎の文学は、さまざまなモチーフやテーマを含み、方法的にも多彩な大きな領野にかかわる小説的宇宙を形成しているのだが、その中核は人生の真実を追求し、自らも文学によって求道的に生きようという、すさまじいまでの真剣さにあった。その真剣さが少々つむじ曲りになり、自ら曲軒と称するような世を斜にかまえるような作品もうみ出していたが、根本は真面目さにあり、その説教に読者は膝を正して聴き、自分のこれからの生き方を教えてもらうというところにあった。それ故に山本周五郎の文学は読者の人生に直接かかわる特別の文学であった。ぼくは二十歳前後の人生に関わる特別の文学が太宰治であるとすれば、中年の人生に関わる特別の文学は山本周五郎であると考えている。事実若い頃、太宰治に夢中になった読者は、中年になって必ずと言ってよいほど山本周五郎に夢中になり、人生の指針をその文学に求めている読者を多く識っている。

そして太宰治に破目を外した遊びの文学があり、虚構の名手であったように、山本周五郎にも破目を外した遊びの作品があり、また虚構の名手であった。山本周五郎は生前太宰治の文学を特別に敬愛して同志感を持っていたが、虚構の手法に関しては、ながい間、下積みの大衆小説、娯楽読物を書いていた山本周五郎の方が一枚上であった。ただ後期においては、モチーフにそぐわないため表て立って扱うことが少なかっただけである。

『彦左衛門外記』は、真実を追求する真面目人間として世に定着されかかった山本周五郎像を、作者自ら破り捨てて、もっと自由な嘘つき山本周五郎が存在することを証明して見せた呵々大笑《かかたいしょう》の作品なのである。そしてこの小説において小説における虚構の技法の限りを見せてくれる。後に指摘するが、それは小説という存在自体を否定しかねない、根源的な冒険も敢えて行っている怖るべき小説にもなっているのだ。

山本周五郎はもともと権力や権威が嫌いだった。（と言ってある種の革命家のように、既成の体制をすべて破壊する生き方も好まなかった故に『ながい坂』の体制内で忍耐強く改革をはかる主人公や、『小説日本婦道記』のごとくその中で懸命に人間的に生きようとする埋れた人々を小説化したのである。）特に権力の中で虚名を得た権威主義者が嫌いだった。『よじょう』は、吉川英治によって神格化された剣聖宮本武蔵の本性を見事に曝露し、諷刺した小説であった。それと同じく『彦左衛門外記』も、〈十六歳にして初陣の功をたて〉以後徳川家の勇将として数々の手柄をたて、大御所から御墨付きをいただき、天下の御意見番として、将軍家にも意見し、軟弱になった世を歎《なげ》き、江戸城にたらいに乗って登城するような奇嬌《ききょう》な行為をし、講談をはじめ硬骨の老武士として人気のある有名な大久保彦左衛門という虚像成立のからくりを曝《あば》いた小説である。なにも彦左衛門に憎しみや怒りを抱いたからではない。なにごとも批判的に見る曲軒周五郎は、彦左衛門伝説を読み聞くにつれ、その虚名のいんちきさを指摘せずにはいられなくなる。そしてこれは権力からはずされた旗本たちや庶民がでっちあげた伝説に違いない。それならその虚構をつくりあげた直接の下手人、張本人がいるに違いない。大工の子イエスをキリストにまつりあげた民衆を代表する聖書のつくり手がいたように……。そのうそつきこそが、今も虚構をでっちあげている小説家の本性に違いないと。

幼名小三郎こと、貧乏旗本の養子になった五橋数馬を主人公に、いや彦左衛門伝説をつくりあげた張本人の作者として設定する。したがって作者はこの数馬をも虚構のつくり手にふさわしいような、数々の奇想天外の虚構、伝説によってつくりあげる。

まず冒頭に記したように、その頃大名でも喰べられない棗の砂糖漬けを空想裡で喰べ、父に真似て、〈――お弓、こよいはとぎだぞ〉と母に向って言い、〈父や母や姉たちを仰天させる。少年の頃から頭の中で何人かの女を妻にしたり、離縁したりする。ついで海外雄飛をさまざま空想する。その少年が大坂の陣なども終り平和になったとき、突如として侍だましいを求める青年に急転換する。信じがたい熱烈さで武芸にはげみ達人となり、戦場生き残りの老人を訪ねまわり、戦記や功名話を書き記しその記録は身長に一寸三分足りないほどの高さに達する。

今は本所に隠棲し菊や朝顔づくりに励んでいる大伯父大久保彦左衛門にはてっぺんのしんじつを語ることを要求したので、〈いさましくないばかりではなく、それは雑兵でさえ赤面するほどの、みじめでなげかわしい、人間の勇気をへし挫くようなもの〉になってしまい数馬は絶望した。ついで数馬は浪人たちとの賭試合に熱中し、たいてい勝って儲けた。しかしある時、試合の場で見物の中に絶世の美女を見つけ見ほれてしまい負けた。数馬はその女を追いかけ、宇都宮十一万石の奥平家の三女ちづか姫であることを確かめ、大胆にも堀割りから屋敷にしのびこみ、会えるまで錦木をもって百夜通いをする、ようやく恋は通ずるが、十一万石と六百石との身分違いを指摘され、数馬は出世を決心する。

戦争も終った世、数馬は隠棲している大伯父彦左衛門を利用することを思いたつ。集めた戦記、功名話を利用し、大伯父の功名話を巧妙に書き変え、旗本の無頼派白柄組の水野十郎左衛門などと組んで彦左衛門を扇動する。そして神君家康公が彦左衛門を天下の意見番に命ずる親書まで偽造する。はじめは冷静で応じない彦左衛門も、数馬の巧妙で、しつこい手口に乗せられ、やがて催眠術にかかってしまったように、自分はいくたの合戦に勝った天下の勇者であり、そのため家康公から天下の意見番のお墨付きをもらったと信じてしまう。ほんとうに信じたか、旗本の趨勢《すうせい》を逆に利用したかわからないところが、この小説のおもしろさであるが、二代将軍の臨終の場でその偽のお墨付きを認めさせ、副署まで得てしまう。

ここから三代将軍家光や、天下の幕閣に対する横紙み破りの超保守的硬骨漢の御意見番的めざましい活躍がはじまる。それが下級旗本や庶民の人気を得、既成権力者をおびやかすおもしろさを、この作者はまことに巧みに描いている。天下の御意見番、今日に伝えられる大久保彦左衛門がどうして成立したか、その機構《メカニズム》を、実におもしろく諷刺的に描いている。虚名の人気者、英雄いわゆるトリック・スターの出現とは、いつの世も庶民の動向を察した頭のよい仕掛人、うそのつくり人が蔭《かげ》にいたに違いない。

しかしこの小説の数馬は自分のつくった虚構が余りにも大成功してしまうのを見て、おびえといやけを感じる。もっともこの小説では、御意見番になった彦左衛門の力を利用して、数馬はお家争動のある奥平家をおどし、首尾よくちづか姫を得て、一万五千石の大名になることになっているが、それは副主題に過ぎない。

しかしその副主題の中に、寛永という江戸初期の吉原のおいらんの露骨なまでの田舎者的な客扱いと性と暴力の露出と純情さ、ちづか姫らのしどけないまでの恋や性愛の表現には驚かされる。作者はこの時代は吉原や大名の息女もこのくらいおおらかで粗野であったと確信しているらしく、読んでいるとそうかも知れないと納得させられる。五橋家の十六歳の継母の懸命な威張りも常識外れでほほえましい。それらを含めて〈挿話《そうわ》〉という章で、作者が出て来て、その憎い継母はじめ登場人物に会い、こんな面倒な人物は小説から消してしまおうかとする破天荒のくだりは、たとえば最近の筒井康隆の『虚人たち』などの小説を書くことを、小説の中の登場人物が疑う、もっとも前衛小説的な小説技法に通じているところに驚きをおぼえた。『樅ノ木は残った』などにも用いられているが、山本周五郎は既成の小説を否定するような大胆な小説技法を用い、小説の本質をたえず疑い続けた前衛作家ということができる。

小説のつくり方を小説にした小説であり、既成史観否定にたって、物語や伝説の成立の秘密を、ユーモラスに諷刺《ふうし》している。まことに不真面目な遊びの中で、小説の方法的冒険を確かめようとした、痛快なたのしい、真面目な小説と言えよう。『樅ノ木は残った』を書いた直後、野心作『青べか物語』などと並行的に書かれているこの小説は、作者にとって夢の脱出孔に似た明るさと、平衡感覚を持つためのたのしい遊びであり破目を外した実験であった。山本周五郎には、こういう子供のような悪戯心もあったのである。

（昭和五十六年八月）

この作品は昭和三十五年十月講談社より刊行され、昭和四十四年九月新潮社刊『山本周五郎小説全集第二十二巻』に収録された。

# 文字づかいについて

新潮文庫の日本文学の文字表記については、なるべく原文を尊重するという見地に立ち、次のように方針を定めた。

一、口語文の作品は、旧仮名づかいで書かれているものは現代仮名づかいに改める。
二、文語文の作品は旧仮名づかいのままとする。
三、一般には当用漢字以外の漢字も使用し、音訓表以外の音訓も使用する。
四、難読と思われる漢字には振仮名をつける。
五、送り仮名はなるべく原文を重んじて、みだりに送らない。
六、極端な宛て字と思われるもの及び代名詞、副詞、接続詞等のうち、仮名にしても原文を損うおそれが少ないと思われるものを仮名に改める。

山本周五郎著

樅ノ木は残った

毎日出版文化賞受賞（上・下）

「伊達騒動」で極悪人の烙印を押されてきた原田甲斐に対する従来の解釈を退け、その人間味にあふれた新しい肖像を刻み上げた快作。

山本周五郎著

青べか物語

うらぶれた漁師町浦粕に住みついた〝私〟の眼を通して、独特の狡猾さ、愉快さ、質朴さをもつ住人たちの生活ぶりを巧みな筆で捉える。

山本周五郎著

柳橋物語・むかしも今も

幼い一途な恋を信じたおせんを襲う悲しい運命の「柳橋物語」。愚直なる男が愚直を貫き通したがゆえに幸福をつかむ「むかしも今も」。

山本周五郎著

五瓣の椿

自分が不義の子と知ったおしのは、淫蕩な母と相手の男たちを次々と殺す。息絶えた五人の男たちのそばには赤い椿の花びらが……。

山本周五郎著

赤ひげ診療譚

小石川養生所の〝赤ひげ〟と呼ばれる医師と、見習い医師との魂のふれ合いを中心に、貧しさと病苦の中でも逞しい江戸庶民の姿を描く。

山本周五郎著

大《おお》炊《い》介《のすけ》始末

自分の出生の秘密を知った大炊介が、狂態を装って父に憎まれようとする姿を描く「大炊介始末」のほか、「よじょう」等、全10編を収録。

山本周五郎著

## 小説日本婦道記

厳しい武家の定めの中で、夫や子のために生き抜いた日本の女たち——その強靭さ、凜とした美しさや哀しみが溢れる感動的な作品集。

山本周五郎著

## 日日平安

橋本左内の最期を描いた「城中の霜」、武士のまごころを描く「水戸梅譜」、お家騒動をユーモラスにとらえた「日日平安」など、全11編。

山本周五郎著

## さぶ

ぐずでお人好しのさぶ、生一本な性格ゆえに不幸な境遇に落ちた栄二。二人の心温まる友情を描いて〝人間の真実とは何か〟を探る。

山本周五郎著

## 虚空遍歴（上・下）

侍の身分を捨て、芸道を究めるために一生を賭けて悔いることのなかった中藤冲也——苛酷な運命を生きる真の芸術家の姿を描き出す。

山本周五郎著

## 季節のない街

〝風の吹溜りに塵芥が集まるように出来た〟庶民の街——貧しいが故に、虚飾の心を捨て去った人間のほんとうの生き方を描き出す。

山本周五郎著

## おさん

純真な心を持ちながら男から男へわたらずにはいられないおさん——可愛いおんなであるがゆえの宿命の哀しさを描く表題作など10編。

山本周五郎著
# おごそかな渇き

〝現代の聖書〟として世に問うべき構想を練った絶筆「おごそかな渇き」など、人生の真実を求めてさすらう庶民の哀歓を謳った10編。

山本周五郎著
# 正雪記

染屋職人の伜から、〝侍になる〟野望を抱いて出奔した正雪の胸に去来する権力への怒り。超大な江戸幕府に挑戦した巨人の壮絶な生涯。

山本周五郎著
# ながい坂（上・下）

下級武士の子に生れた小三郎の、人生という〝ながい坂〟を人間らしさを求めて、苦しみつつも着実に歩を進めていく厳しい姿を描く。

山本周五郎著
# つゆのひぬま

娼家に働く女の一途なまごころに、虐げられた不信の心が打負かされる姿を感動的に描いた人間讃歌「つゆのひぬま」等9編を収める。

山本周五郎著
# ひとごろし

藩一番の臆病者といわれた若侍が、奇想天外な方法で果した上意討ち！　他に〝無償の奉仕〟を描く「裏の木戸はあいている」等9編。

山本周五郎著
# 栄花物語

非難と悪罵を浴びながら、頑なまでに意志を貫いて政治改革に取り組んだ老中田沼意次父子を、時代の先覚者として描いた歴史長編。

山本周五郎著

# 天地静大

変革の激浪の中に生き、死んでいった小藩の若者たち——幕末を背景に、人間の弱さ、空しさ、学問の厳しさなどを追求する雄大な長編。

山本周五郎著

# 松風の門

幼い頃、剣術の仕合で誤って幼君の右眼を失明させてしまった家臣の峻烈な生きざまを描いた「松風の門」。ほかに「釣忍」など12編。

山本周五郎著

# 深川安楽亭

抜け荷の拠点、深川安楽亭に屯する無頼者たちが、恋人の身請金を盗み出した奉公人に示す命がけの善意——表題作など12編を収録。

山本周五郎著

# ちいさこべ

江戸の大火ですべてを失いながら、みなしご達の面倒まで引き受けて再建に奮闘する大工の若棟梁の心意気を描いた表題作など4編。

山本周五郎著

# 山彦乙女

徳川の天下に武田家再興を図るみどう一族と武田家の遺産の謎にとりつかれた江戸の若侍。著者の郷里が舞台の、怪奇幻想の大ロマン。

山本周五郎著

# あとのない仮名

江戸で五指に入る植木職でありながら、妻とのささいな感情の行き違いから、遊蕩にふける男の内面を描いた表題作など全8編収録。

山本周五郎著

四日のあやめ

武家の法度である喧嘩の助太刀のたのみを、夫にとりつがなかった妻の行為をめぐり、夫婦の絆とは何かを問いかける表題作など9編。

山本周五郎著

町奉行日記

一度も奉行所に出仕せずに、奇抜な方法で難事件を解決してゆく町奉行の活躍を描く表題作ほか、「寒橋」など傑作短編10編を収録する。

山本周五郎著

一人ならじ

合戦の最中、敵が壊そうとする橋を、自分の足を丸太代りに支えて片足を失った武士を描く表題作等、無名の武士の心ばえを捉えた14編。

山本周五郎著

人情裏長屋

居酒屋で、いつも黙って飲んでいる一人の浪人の胸のすく活躍と人情味あふれる子育ての物語「人情裏長屋」など、〝長屋もの〟11編。

山本周五郎著

花杖記

父を殿中で殺され、家禄削減を申し渡された加乗与四郎が、事件の真相をあばくまでの記録「花杖記」など、武家社会を描き出す傑作集。

山本周五郎著

扇野

なにげない会話や、ふとした独白のなかに男女のふれあいの機微と、人生の深い意味を伝える〝愛情もの〟の秀作9編を選りすぐった。

山本周五郎著

寝ぼけ署長

署でも官舎でもぐうぐう寝てばかりの〝寝ぼけ署長〟こと五道三省が人情味あふれる方法で難事件を解決する。周五郎唯一の探偵小説。

山本周五郎著

あんちゃん

妹に対して道ならぬ感情を持った兄の苦悶とその思いがけない結末を通して、人間関係の不思議さを凝視した表題作など8編を収める。

山本周五郎著

艶書

七重は出三郎の袂に艶書を入れるが、誰からか気付かれないまま他家へ嫁してゆく。廻り道してしか実らぬ恋を描く表題作など11編。

山本周五郎著

やぶからし

幸せな家庭や子供を捨ててまで、勘当された放蕩者の前夫にはしる女心のひだの裏側を抉った表題作ほか、「ばちあたり」など全12編。

山本周五郎著

花も刀も

剣ひと筋に励みながら努力が空回りし、ついには意味もなく人を斬るまでの、平手幹太郎(造酒)の失意の青春を描く表題作など8編。

山本周五郎著

楽天旅日記

お家騒動の渦中に投げ込まれた世間知らずの若殿の眼を通し、現実政治に振りまわされる人間たちの愚かさとはかなさを諷刺した長編。

山本周五郎著

# 雨の山吹

子供のある家来と出奔し小さな幸福にすがって生きる妹と、それを斬りに遠国まで追った兄との静かな出会い――。表題作など10編。

山本周五郎著

# 月の松山

あと百日の命と宣告された武士が、己れを醜く装って師の家の安泰と愛人の幸福をはかろうとする苦渋の心情を描いた表題作など10編。

山本周五郎著

# 花匂う

幼なじみが嫁ぐ相手には隠し子がいる。それを教えようとして初めて直弥は彼女を愛する自分の心を知る。奇縁を語る表題作など11編。

山本周五郎著

# 風流太平記

江戸後期、ひそかにイスパニアから武器を密輸して幕府転覆をはかる紀州徳川家。この大陰謀に立ち向かう花田三兄弟の剣と恋の物語。

山本周五郎著

# 菊月夜

江戸詰めの間に許婚の一族が追放されるという運命にあった男が、事件の真相を探り許婚と劇的に再会するまでを描く表題作など10編。

山本周五郎著

# 朝顔草紙

顔も見知らぬ許婚同士が、十数年の愛情をつらぬき藩の奸物を討って結ばれるまでを描いた表題作ほか、「違う平八郎」など全12編収録。

## 新潮文庫最新刊

江藤淳著
荷風散策
―紅茶のあとさき―
愛惜する荷風散人の小説・随筆・日記の時空間に心おもむくまま遊び、その生活と創作、魅力の真相を照らし出す。豊穣なる批評の愉悦。

佐藤良明
柴田元幸著
佐藤君と柴田君
こんな東大の先生ってマジであり? 英語の授業を断然面白くした二人が、翻訳論からオナラ学まで掛合いで語る、ポップなエッセイ。

森まゆみ著
明治東京畸人傳
谷中・根津・千駄木――。かつてこの地をこんな破天荒なヤツが歩いていた! 精力的な聞き書きから甦る25人のユニークな人生。

N・ホーンビィ
森田義信訳
ハイ・フィデリティ
もうからない中古レコード店を営むロブと、出世街道まっしぐらの女性弁護士ローラ。同棲の危機を迎えたふたりの結末とは……。

M・H・クラーク
深町眞理子訳
恋人と呼ばせて
あの顔は、殺人事件の被害者にそっくり……。美貌に憧れる女心と、愛する人を永遠に手放すまいとする歪んだ執着心が生むサスペンス。

M・ドリス
佐々木光陽訳
森の少年
ぼくはいったいどんな大人になるのだろう? ひとり森に分け入った少年の恐怖と出会いを通して、魂の成長を清らかに謳う鮮烈な物語。

# 彦《ひこ》左《ざ》衛《え》門《もん》外《がい》記《き》

新潮文庫　や－2－36

昭和五十六年九月二十五日　発行
平成十一年七月十五日　二十二刷

著者　山《やま》本《もと》周《しゅう》五《ご》郎《ろう》

発行者　佐藤隆信
発行所　株式会社 新潮社
郵便番号　一六二―八七一一
東京都新宿区矢来町七一
電話　編集部(〇三)三二六六―五四四〇
読者係(〇三)三二六六―五一一一
振替　〇〇一四〇―五―八〇八

価格はカバーに表示してあります。

乱丁・落丁本は、ご面倒ですが小社読者係宛ご送付ください。送料小社負担にてお取替えいたします。

印刷・錦明印刷株式会社　製本・錦明印刷株式会社



ISBN4-10-113437-5 C0193